JN081054

カーボンニュートラル革命

3000兆円の巨大マネー。
その受け皿となる企業に！

猪瀬直樹 Naoki Inose

ビジネス社

はじめに

新幹線の窓から山脈が幾重にも連なっている風景を眺めながら、いつも素朴な疑問が沸き上がるのである。あの高圧送電線の鉄塔をいつどのようにして造ったのだろうかと。高圧送電線は人跡未踏に見える山を越え、深い谷を跨いで遥か彼方へ続いている。こんもりと繁った森林には登山道もなく、傾斜の激しい谷には橋も架かっていない。それでも鉄塔は一定の間隔をおいて遥か彼方へと連なっていくのだ。

東京電力管内だけでも高圧送電線は、架空と地中を合わせて地球一周に匹敵する約4万キロもの長さが張りめぐらされている。鉄塔は6万基あり、最も高い鉄塔は東京タワーの半分の高さ150メートルもある。

我われが電力について考える際には、ともすれば発電所のイメージを想像する。黒部の水力ダム開発の物語を知っているし、コンビナートに聳える火力発電所の煙突を思い浮かべるし、2011年の3・11の福島第一原発事故の恐怖は記憶に新しい。

電力というものがいかに巨額な設備投資を必要としてきたか、発電所ばかりでなく、この送配電線網の存在と向き合うだけでも理解できるだろう。ちなみに東京電力（東京電力ホールディングス有価証券報告書２０１９年度）の発電部門の固定資産額は原子力１兆円、火力1兆円に対して、送配電部門は４兆円と2倍である。あえて高速道路のイメージに重ねてみると、送配電部門こそ高速道路の本体そのものであり、ところどころに設置されているサービスエリアが発電部門にあたる。つまり発電部門は主役ではなく置き換え可能な資産なのである。

そしてごく最近、コロナ禍の２０２０年4月、いよいよ電力会社は発送電分離を実施した。送配電部門と発電部門が別会社（後述するが完全な分離ではない）となったのだ。

この電力会社の送電部門と発電部門の分離（やり方はいろいろあり）は、すでに欧米では早い時期から始まっており、それを大きく括ると電力自由化と呼ばれる。詳細な説明を加えるときりがないので、ここではいま世界を根底から揺さぶり始めた再生エネルギーへの転換と結びつけ、日本だけが取り残されようとしている危機的な現実を確認するところから始めたい。

いままさに世界では脱炭素が叫ばれている。菅義偉首相が２０２０年10月26日の所信表明演説で「我が国は、２０５０年までに、温室効果ガス排出を全体としてゼロにする、すなわち２０５０年カーボンニュートラル、脱炭素社会の実現を目指すことを宣言する」と表明した。カーボンニュートラルとは、産業社会だけでなく生活環境のあらゆるシーンにおいても排出される二酸化炭素が自然界の吸収量とプラス・マイナスゼロにする、すなわちニュートラルにするという意味である。

産業革命以降、石炭や石油の利用が進み、温暖化ガスの排出により気温が1・2度上昇している。その結果、近年とくに異常気象による自然災害が著しく、台風・ハリケーンの巨大化による被害の増大、集中豪雨の頻発と洪水の増加、気温上昇による山火事の拡大など、看過できぬ事態を招いている。「パリ協定」（2015年、後述）で今後の世界の平均気温の上昇を産業革命以前に較べて2度未満に抑えることを目指し、1・5度以下を努力目標に掲げた。

パリ協定を契機にして各国がつぎつぎと「2050年カーボンニュートラル」宣言をしている。あの中国でさえ先進国より10年引き延ばしたが「2060年カーボンニュートラル」と掲げた。ところがこうした宣言を日本人はあまり深刻に受け止めていない。というよりそれがどのくらい将来にわたって自分の運命を左右することになるか気づいていない。コロナ禍は恐怖であっても所詮は一過性の現象にすぎないが、気候変動・脱炭素はそうではない。

あの山や谷を跨いでいく巨大な送電線をつくりあげてきたのは戦後の高度経済成長の爆発的なパワーである。それに匹敵するぐらいの大転換が生活から産業の全体をめぐって始まっているのだ。今回の〝大地震〟のマグニチュードは、まさに高度経済成長で起きたライフスタイル革命を凌ぐものとなる。気づいていないのは日本人だけである。

２０２１年7月

猪瀬直樹

カーボンニュートラル革命

目次

第1章　石炭火力発電で非難される日本

第2章　急加速するＥＶの時代

第3章　「失われた２０１０年代」を打ち破る挑戦

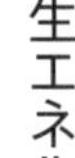

第5章 地熱発電というニューフロンティア

終章 SDGsビジネスに乗り遅れるな

第1章

石炭火力発電で非難される日本

COP25で日本に与えられた不名誉な「化石賞」

２０１９年12月2日から15日まで、スペイン・マドリードで第25回国連気候変動枠組み条約締約国会議（ＣＯＰ25）が開催され、日本は「化石賞」を2回受賞した。開催の翌日の12月3日、日本は化石賞を受賞したが、日本といっしょに受賞した不名誉な国はオーストラリアとブラジルで、この2国は世界有数の産炭国である。日本は産炭国と「化石賞」で同列にされてしまっているのだ。

化石賞は地球温暖化対策に後ろ向きと認定された国家に贈られる不名誉な賞で、「化石」には化石燃料を指すと同時に化石のような古い考え方を揶揄する意味合いも込められている。少しおふざけのショー的な要素があり、黒地に白い骸骨のかぶりもので仮装したり、ペインティングを施したりした環境ＮＧＯ（気候行動ネットワーク）の若者たちが会場の一隅で騒いでいるだけで、国連の正式機関によるイベントではない。だがこうした騒々しいショーほどテレビニュースの話題になりやすいし、じじつ海外で悪いイメージで報じられてしまうのでばかにできない。これもＰＲ合戦のひとつで、裏で誰かが画策する新しい産業革命の主導権を握ろうとする情報戦であるのかもしれない。そうであるなら日本は情報戦で負け組に追いやられていることになる。

日本の石炭火力への高い依存度が、世界的な脱炭素の動向に対して逆行しているという警告は、実際にＣＯＰ25で指摘されていたのである。

スペイン・マドリードで開かれたＣＯＰ25における日本の最初の化石賞の受賞は開催翌日の12月３日であり、それは梶山弘志経済産業大臣が閣議後に記者の質問に対して、石炭火力発電を積極的に必要としている、と発言したかのように伝えられたからである。

朝日新聞は12月４日付の朝刊で「石炭開発、化石燃料の発電所というものは選択肢として残しておきたいと考えております」と梶山発言を報じているし、日経新聞は「国内を含めて石炭火力発電、化石燃料を使う発電所は選択肢として残しておきたい」としている。

この発言には不用意なところもあるのだが、原発がほとんど稼働しておらず、再生エネルギーはイギリスやドイツに較べると普及が遅れ発電量がかなり足りない状態で、いきなり火力発電を止めるわけにはいかない日本国の置かれた厳しい実情を反映している。

そのあたり、以下、記者会見の速記の起こしを読みながらどのように切り取られたのか、確認したい。

記者の質問は「ＣＯＰ25がスペインで開催されました。日本の石炭政策とか新増設とか、当面のＣＯ$_2$対策に国際的な批判はかなり強まってくると思いますが、経産省としてはどういう形式で臨まれますか」である。

梶山経産大臣はこう答えている。

「閣僚クラスはまだこちらは出発しておりませんけれども、ＣＯＰ25が始まったということで、私どもはまだ国内も含めて、石炭火発、化石燃料の発電所というものは選択肢として残しておきたいと考えております。と申しますのも、２０３０年の（電力構成の）ベストミックス、すべて選択肢を考えた上でどうしていくかということが重要なことだと思いますし、そのなかでの制約というのは、原子力発電の依存率をできる限り低減をしていく、そして、再生可能エネルギーを増やしていく、そして、更にまたＣＯ$_2$の排出を減らしていく。非常に難しい制約の中で、すべて選択肢があるなかで技術開発も進めていくということでございます」

この「２０３０年の電源構成のベストミックス」は、日本の場合、２０１５年７月の「長期エネルギー需給見通し」（経済産業省）で決められている。さらに２０１８年７月の「第5次エネルギー基本計画」でも同じ数字が踏襲された。

それによると自然再生エネルギーは22～24パーセント（太陽光7パーセント、風力2パーセント、地熱1パーセント、バイオマス5パーセント、水力9パーセント）に過ぎず、原子力が20～22パーセントであり、じつに残り56パーセントが化石燃料となっている（図1−1−

図1-1-1　2019年の電源構成

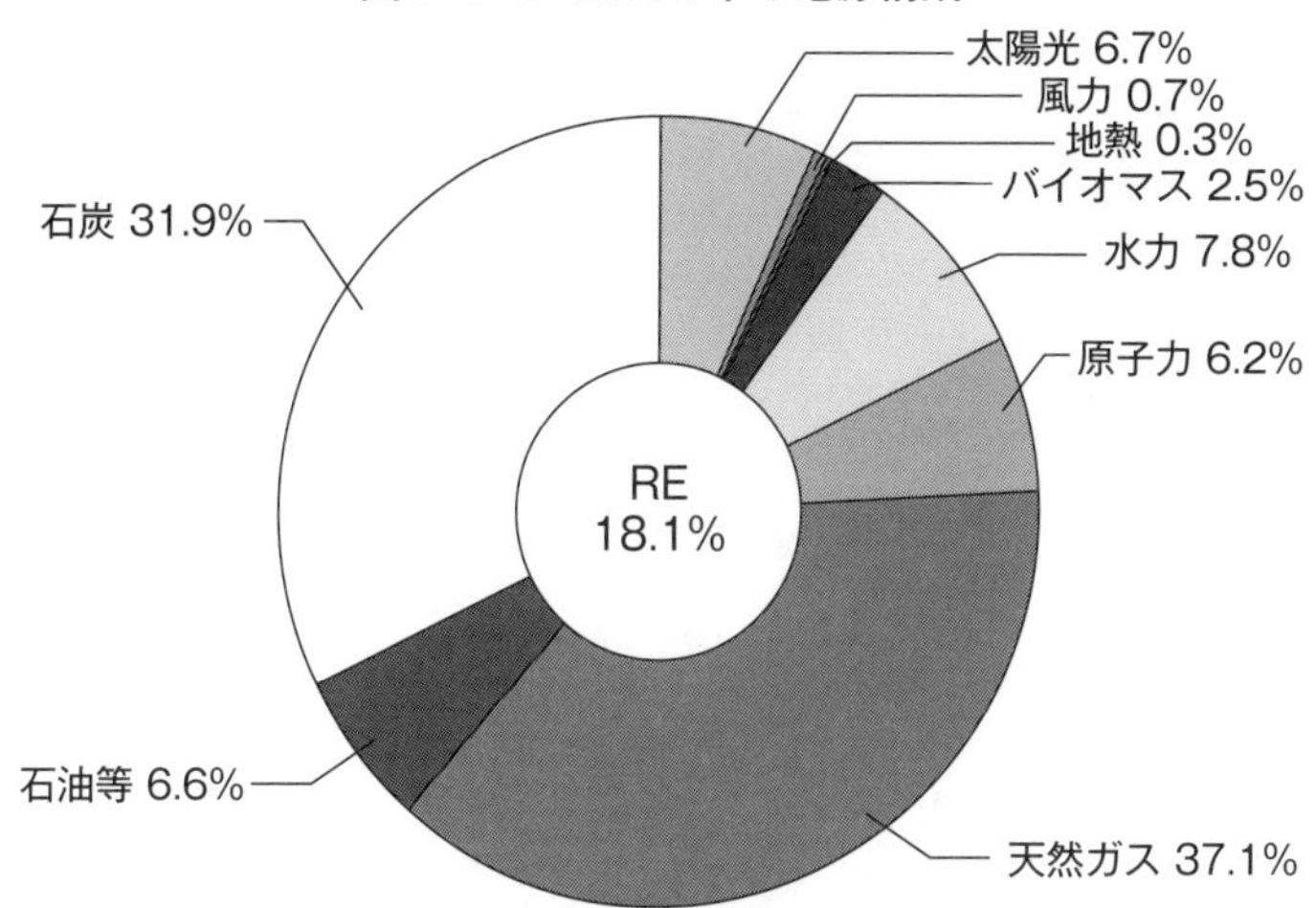

図1-1-2　2030年の電源構成（目標値）

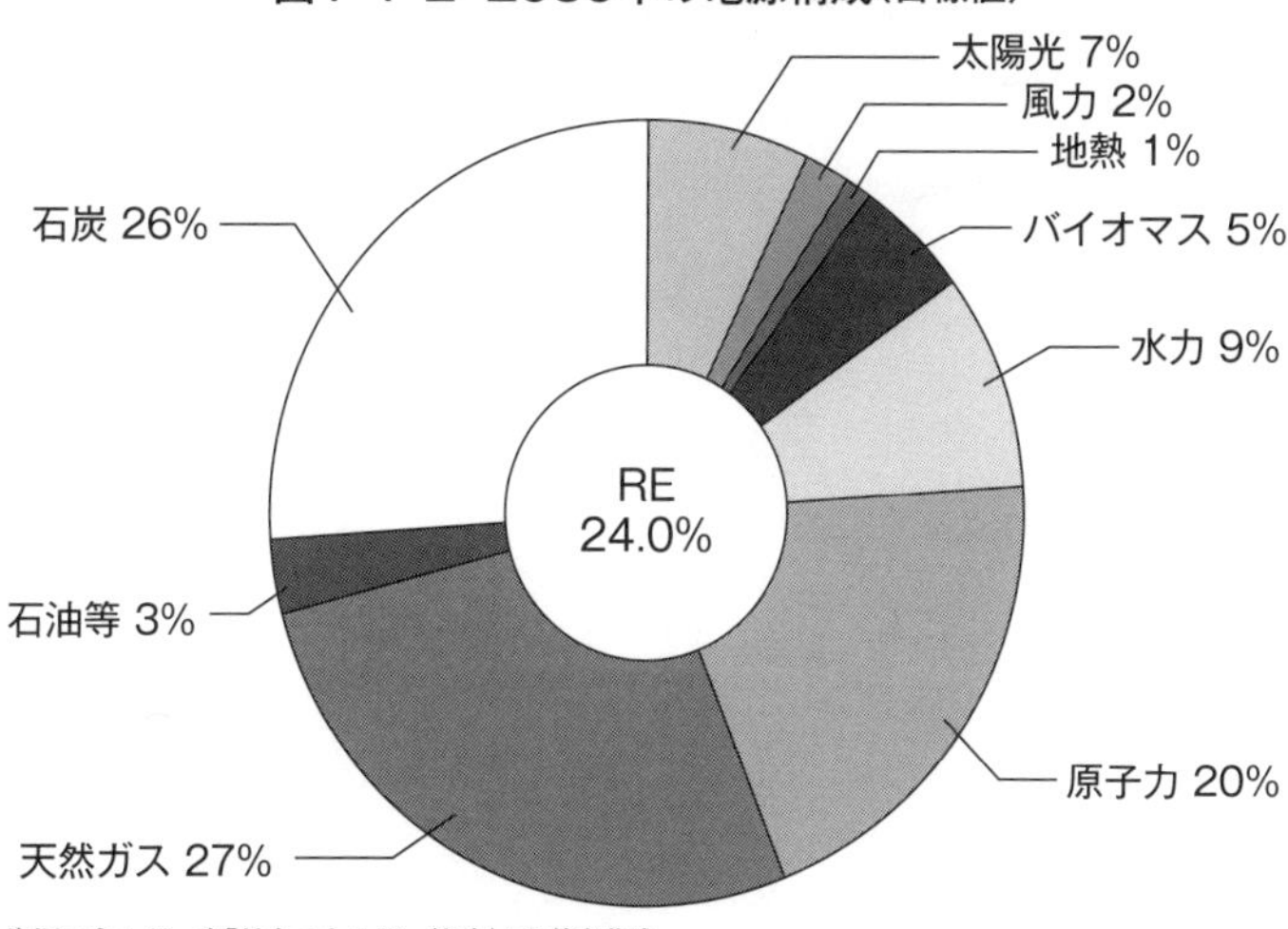

資源エネルギー庁「総合エネルギー統計」より筆者作成

2参照）。化石燃料の半分は液化天然ガス（ＬＮＧ）、半分は石炭火力なのである。

梶山経産大臣が遠回しに弁解せざるを得ないのは、原発再稼働が困難な状況のなかで化石燃料による石炭火力発電を続けるという選択肢を積極的に選んだつもりもなく、また原発再稼働を正面かち打ち出す決断力もなく、そうかといって自然再生エネルギーが主要電源にもなり得ていない、そのジレンマがあるからだ。

２０１５年7月の「長期エネルギー需給見通し」から4年後の２０１９年度実績（図1-1-1）では、本来なら２０３０年の「ベストミックス」に近づくはずなのにそうならず、石油7パーセント、ＬＮＧが37パーセント、石炭火力は32パーセント、化石燃料比率は合わせて75パーセントという驚異的に悪化した数値であり、２０３０年の目標値（そもそもこの目標値56パーセントですら化石燃料比率が高すぎると批判されているのに）には遠く及ばないのだ。

これが２０１９年のＣＯＰ25に臨む段階の日本の現状なのであった。

「化石賞」は梶山発言に反応して授与されたのだが、日本のメディアは、日本人がいかに世界からズレにズレているのか、ということを報じなければいけなかった。

日本のメディアは何を報じたのか

日本では「化石賞」が話題になったが、それはあくまでも端っこの話である。

マドリードで開催された気候変動に関する国連の会議ＣＯＰ25では、２０１５年12月のＣＯＰ21で締結された「パリ協定」に沿って温暖化ガスを着実に減らすため、各国が削減目標を積極的に打ち出し始めていた。パリ協定では今世紀中に気温上昇を２度未満、可能な限り１・５度に抑えるためのすべての国に対してよりいっそうの削減目標を求めている。

ＣＯＰ25の会議の冒頭、グテレス国連事務総長は「より野心的な行動を」と訴え、２０３０年までの削減目標を高めるよう迫った。

ヨーロッパの主要国は石炭火力の全廃を打ち出した。

フランスは２０２２年までに、イギリスは２０２４年までに、イタリアは２０２５年までにオランダとカナダは２０３０年までに、石炭火力を全廃するというのだ。原発の廃止を打ち出しているドイツは、石炭への依存があり、それにまつわる雇用問題もあるので歯切れが悪く見えるが、それでも２０３８年全廃を打ち出している。このあたりはある種の

図1-2　石炭火力発電廃止を打ち出す国は増えている

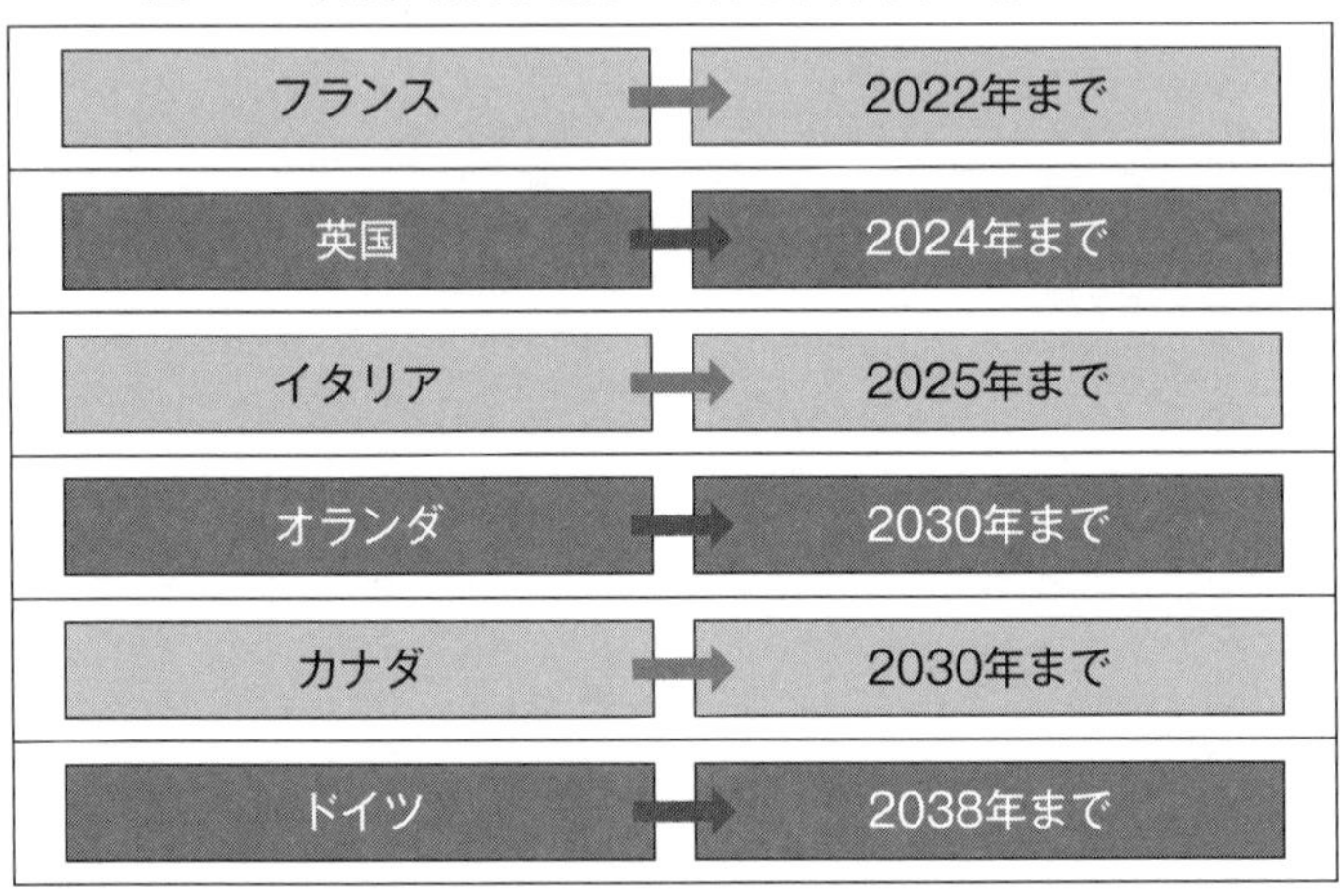

筆者作成

ブランディングのための駆け引きと勘繰られても仕方ない面もあるのだが、いかに前向きに見えるかを競っているのだから外交的局面では正しい行動とみなされよう。

　ところが日本政府を代表して閣僚級会合に出席した小泉進次郎環境大臣には、ＣＯＰ25に臨むための〝実弾〟が政府から一発も渡されていなかった。

　石炭火力の全廃など、日本ではほとんど議論にすらならなかった。ドイツのように２０２１年に全廃が無理なら２０３８年と先延ばしで柔軟性を発揮してよいなら、日本も２０４０年にとかあるいは42年までに全廃などという結論を持ってくる、そういう手もないではないのだ。それだけでも印象は全然違ったものになる。しかし、日本のメディアからはパリ協定のこうした緊迫した雰囲気がまったく伝わって来ないから、実弾を用意せよとの世論も醸成されない。

こうして丸腰の小泉進次郎環境大臣は内外で孤立した。日本という国が孤立しているにもかかわらず日本のメディアは小泉大臣の孤立を人ごとのように囃し立てた。

小泉大臣は、マドリードで記者団に対して「日本は脱炭素へ大きく舵をきる」と述べ、12月11日の会議の演説では「日本は5年連続で温暖化ガスの排出量を削減してきた」と強調するが、「日本の石炭政策への批判によってこうした実績がかき消されてしまった」と無念そうに述べた。石炭火力発電を廃止するかどうかは環境大臣ではなく経産大臣の権限であっても、海外から見ればそんな日本の内情は理由にはならない。

こうして小泉大臣が石炭火力発電の廃止に言及しなかったことに対して、先の梶山経産大臣発言につづいてＣＯＰ25での２度目の「化石賞」の受賞が決まったのである。

日本のテレビ局はいわゆる切り取り報道を得意とする。伝えるべき文脈を考えずに一部のみ強調しておもしろおかしく歪曲する。

このＣＯＰ25に先立つこと3カ月、ニューヨークで２０１９年9月に開かれた「国連気候行動サミット２０１９」では、ヨーロッパを中心に温暖化ガスの削減目標引上げへの言及が相次いだ。

小泉進次郎が第4次安倍第2次改造内閣で環境大臣に任命されたのは9月11日である。環境大臣就任から間もない9月22日、小泉が出席した最初の環境関連の会議で、いわゆるセクシー発言が飛び出した。日本では、石炭火力廃止についての議論ではなく、「セクシー発言」炎上問題が発生した。ワイドショーなどが「環境問題なのにセクシーとは？」と画像を切り取りで流した。8月に滝川クリステルとの結婚を官邸で発表したばかりのこともあるのか、この一言が小泉進次郎バッシングへと向かうのである。

そもそも「セクシー」は、日本ではセクシー女優など性的なイメージに付いて回る形容詞である。だが英語では違う。セクシーはクールと同じ意味で使われることがある。

こうした切り取り報道を受けて、共産党の小池晃書記局長は、気候変動対策に「セクシーで楽しく取り組む」とは「あきれてしまう。大臣としての資質に関わる重大発言だ」と批判して国会で問題化すると述べた。

こうした本質からかけはなれた展開になるのは、日本のメディアにはニューヨークで開かれている国連気候行動サミットへの関心が薄くその重要性の認識がないからだ。

セクシー発言は、女性のクリスティアナ・フィゲレスCOP前事務局長と並び記者の質問を受けている際に生じた。もちろん英語での自然なやりとりのなかでだった。記者が「このイベントでどのような議論をし、他の参加者からどういう反応がありましたか」と質問した。

「とても刺激的な会議でした。出席者が『この問題（環境問題）に取り組むことは楽しくなければいけない』と。すると彼女（フィゲレス氏）はこう付け加えたのです。『セクシーなことでもあるわ』と（小泉大臣とフィゲレス氏が笑い合う）。私は全面的に賛成ですね。政策論議には退屈なこともある。でも気候変動のような非常に大きい問題では楽しくないといけない、クールでないといけない。そしてセクシーでないとね。若い世代がカギとなる。若い人たちに模範を示し、楽しむことが解決につながる」

フィゲレス前事務局長は、以前から環境問題を語る際に、しばしばセクシーという言葉を使っていた。

小泉大臣は、フィゲレス氏のイベントでの発言を紹介したわけで、それも含め日本のメディアがひたすら浅薄であったにすぎない。ただし、このセクシー発言に対して、「脱石炭デモ」を主催していた人物が、「脱石炭をしないとセクシーにはならない」と批判し、むしろその発言が現地メディアに取り上げられたのである。そちらは用法として正しいし、内容的にも正しい。日本のメディアはもう少しロジックをもって伝えるべきだった。

このあとの展開を書き加えなければいけない。そう、石炭火力の話だ。かつて原発に反対する反原発運動が大きなうねりになったが、いまは反石炭火力運動が世界の潮流になっていることに多くの日本人は気づいていない。

――脱炭素をめぐる世界と日本の認識のズレは大きい。

もっとも現在の２０２１年に至ってもこの大きなズレはほとんど是正されておらず、２０２０年11月に開催予定だったＣＯＰ26がコロナ禍で1年延期され、２０２１年11月に延びたのはまさに日本人にとっては僥倖というほかはない。

２０２０年はパリ協定が本格的に運用を開始する年であり、ＣＯＰ26（イギリス・グラスゴー）ではいまだ足りない各国の削減目標をいかに引き上げるかが討議されることになっていたが、石炭火力から脱却する覚悟も用意もできていない日本にとっては、何とか１年間の猶予期間が与えられたからだ。

菅首相が、２０２０年10月26日に所信表明演説で、急遽、２０５０年カーボンニュートラルを宣言したが、もしバイデン大統領の就任後であったらかなりみっともないことになっていたと思う。トランプ前大統領はパリ協定離脱を通告していたが、バイデンは当選したらをそれを覆すことが明らかだった。こんなことまですべてアメリカに追随するのかと思われてしまうところだった。

日本人に石炭火力について強い否定的な感情がないのは、気候変動による災害については被害者意識が強いのにもかかわらず、その原因と結びつけて考えていないことがひとつ。もうひとつは福島の原発事故によって電源不足に陥っている現状を石炭火力が救っているとの認識があるからだ。

３・11以降、一時的に原発ゼロの期間が長く続いた。自然エネルギー財団の調査を以下に記そう。

「福島原発事故前に稼働していた54基の原子炉のうち、すでに21基が廃炉になり、残りは33基である。このなかには現時点でも新規制基準への適合性申請すらできていないものや、審査が難航しているもの、審査に合格しても地元自治体の合意が得られないもの、さらには２０３０年以前に40年の運転期限を迎えるものが数多くあり、20パーセントという下限目標はおろか、その半分程度の実現も困難と予想される」

現在（２０２1年6月現在）稼働している原発はわずか10基にすぎない。

だから火力発電に頼らざるを得ない、という結論になるがそれでは単純すぎるのではないのか。なぜなら原子力発電が目標に届かない部分の多くを、石炭火力発電や天然ガス火力発電が代替し、二酸化炭素排出量の増加を招くことになってしまう。また石炭火力発電と天然ガス（ＬＮＧ）火力発電を1セットにしてよいのか。同じ化石燃料でも高濃度の二酸化炭素を排出する石炭火力とその半分程度しか排出しないＬＮＧ火力ではレベルがまったく異なる。いずれにしろ稼働していない原子力発電の減少分を何によって補うか、このジレンマから脱出する方途を考えなければならない。

3・11の深刻な電力不足による〝緊急事態〟

少し振り返っておきたい。じつは3・11の原発事故後、東京の電力不足を補うために、当時の僕は東京都副知事として奔走していた。その際に、福島県に新しい石炭火力発電所が建設されるという話が漏れ伝わってきた。日本の石炭火力発電は他国のそれとは違ってハイレベルでクリーンなもので二酸化炭素の排出量が少ないとの触れ込みであった。高効率の石炭火力発電で世界一の水準と喧伝されていた。僕には「高効率の石炭火力」という言葉が強く印象に残った。

原子力発電所の停止によって深刻化した電力不足問題を解決する手立てはないか、と当時、真剣に考えた。原発事故の影響で、福島原発の900万キロワットの電力が失われている。また、800万キロワットの柏崎刈羽原発も、2012年3月に全7基中、唯一稼働している6号機が定期点検に入り、すべて停止。東京電力管内で、合計1700万キロワットの電力が失われたのである。

2011年の夏は何とか乗り切った。電気事業法に基づく電力使用制限令で、大規模工場やオフィスビルなど、５００キロワット以上の大口契約者に対して、15パーセントの削減を要請した。メーカー各社は土日に工場を稼働させたり、早朝出勤でピークタイムをずらしたり、ビルのエアコンの設定温度を見直したり、照明を落としたりして対応した。

また、電力使用量の3分の1を占める中小零細企業や、同じく3分の1を占める一般家庭も、15パーセント削減の対象ではないものの、自主的に節電に協力した。その結果、夏場に予定されていた計画停電は回避することができた。

２０２０年に始まったコロナ禍における緊急事態宣言は、飲食店に時短営業を要請したり、一般家庭に外出自粛を、企業にはテレワークを求めたりした。それと似たようなことが電力需要で起きていたのだ。喉元過ぎればで、いまはもうすっかり忘れられているが。

２０１１年の夏も終わり、電力使用制限令が解除された直後の9月13日、東北電力では、供給１１７６万キロワットに対して最大需要１１６０万キロワットに達し、じつに99パーセントの電力使用率となった。ブラックアウト寸前である。あわてて東京電力から40万キロワットを融通したので、供給は１２１６万キロワットとなり、電力使用率は95パーセントまで下がったが、それにしても危うい綱渡りである。「脱原発」の世論もあって、定期点検で停止中の原発の再稼働の見通しはまったく立たずであった。

このままでは、２０１２年の夏も電力需給が逼迫することは目に見えている。電力不足を補うには、代替エネルギーの開発が急務だと真剣に考えた。

震災後、代替エネルギーの可能性を見きわめるため、僕は新エネルギー研究会という勉強会を都庁内に立ち上げた。六本木ヒルズの地下発電所、川崎天然ガス発電所、群馬県の玉原揚水発電所、八丈島の地熱発電所を立てつづけに視察した。その結果、当面の危機を乗り切るために天然ガスが代替エネルギーとして最も優れているという結論を得た。再生エネルギーは、この当時はまだ極めて貧弱な量でしかなかったから。

東電ではない独立系（ＥＮＥＯＳ＆東京ガス）の川崎天然ガス発電所は、ガスタービンと蒸気タービンを組み合わせたガスタービンコンバインドサイクル（ＧＴＣＣ）方式を採用している。まず、液化天然ガス（ＬＮＧ）を高温で燃焼させ、ガスタービンを回して発電する。さらに、その排熱を利用して水を蒸気に変え、蒸気タービンを回転させて電力を生み出す。この二重の発電方式はいわばハイブリッド、発電効率が非常によい。

ふつうの火力発電所は、水を沸騰させて蒸気をつくり、蒸気タービンを回して発電している。この方式だと、発電効率は平均42パーセント。１００のエネルギーを持つ燃料に対して、４割しか電気を取り出していない。これに対して川崎天然ガス発電所では、ガスタービンで38パーセント、排熱による蒸気タービンで20パーセント、合わせて58パーセントの発電効率を実現していた。およそ１・５倍の性能だ。

川崎天然ガス発電所は、1号機と2号機の2基からなる。1基42万キロワットだから、2基合計84万キロワットの発電出力となる。ざっと１００万キロワットで、原発1基分に相当する。

少人数で運用している点も見逃せない。東京電力は年間２９００億キロワットhを７１００人で運用しており、１人当たりでは４０００万キロワットhとなる。いっぽう、独立系の川崎天然ガス発電所は年間37億キロワットhを25人で運用していて、１人当たり１・５億キロワットhだ。総発電量は東京電力の１パーセント強だが、効率は４倍となっている。

さらに、敷地面積が小さいことも、都市部に発電所を建設するときの利点となる。川崎天然ガス発電所の敷地面積は６万平方メートル、単純計算で１００メートル×６００メートルである。いっぽう、福島第一原発の敷地は３５０万平方メートル、約60倍にもなる。用地取得にかかる費用は格段に安くなる。

建設コストも2基で５００億円と、原発よりもはるかに安上がりだ。

それだけではない。燃料がＬＮＧだから、石炭や石油に比べて二酸化炭素の排出量が少なく、窒素酸化物の排出量もきわめて少ない。天然ガスは相対的にクリーンエネルギーなのである。

こうして僕が座長として、東京都が主導して発電所をつくろうという「東京天然ガス発電所プロジェクトチーム」を発足させたが、電力供給も回復していたので実際に建設するところまでに至らずに終わった。

２０１１年夏の節電については、東日本大震災による例外的な措置ということで、企業や家庭はなんとか耐えてきた。しかし、長期にわたりこのような負担を企業や家庭に求めつづければ、東京の国際競争力の低下や産業の空洞化を招き、日本経済の活力は失われてしまう。

電力供給に不安があれば、企業は中期計画も立てられない。電力の見通しが不透明な状況では、国内で多くの雇用を生んできた日本メーカーが、中国や韓国、ベトナム、タイなどに、一気に工場を移すかもしれない。

本来、エネルギー問題は国家として取り組むべき課題だが、当時の民主党政権は迷走していて、明確なメッセージを発することもできなかった。国がやらないなら、東京がやるしかない。あの時点で最も必要な施策は、原発の代替エネルギー確保のメッセージを打ち出していくことだった。東京都で１００万キロワット級の発電所をつくりますというのは、「企業は安心して東京にいてください」というメッセージであった。現実の電力不足と産業空洞化の問題に対処するために、地産地消・分散型の発電所をスピーディに整備していく必要があったし、この問題はいまは再生エネルギーで解決可能である。

もちろん、天然ガス発電所は、産業界のためだけではない。東京では、都立病院で３万キロワット、警視庁で１万５０００キロワット、都営地下鉄で12万キロワットの電力が消費されている。東京の行政機関全体の電力消費は、80万キロワットにもなる。原発の稼働が難しい状況にあって、公共施設に電力を安定供給する体制を急いで整えていかなければならなかった。ＪＲ各社は自家発電設備を持っていて、自前で電車を動かしている。川崎天然ガス発電所と同じ規模のものを都立で一基つくろうとしたのはそういう理由からだった。

実際にプロジェクトで天然ガス発電所建設の議論を始動させていくと、その動きの中で、送電線を利用しようとする場合の託送料（送電線を利用する料金）の問題など具体的な課題が見えてくる。「脱原発」と叫んでいるだけではだめで、具体的で実務的なプロジェクトを通して問題をえぐり出していくのが問題解決への近道である。

当面の危機は去りプロジェクトは解散したが、電力会社による地域独占の弊害がだんだんわかってくる。民間主導の時代になっているときに、東電はずっと独占会社として残ってきた。その独占会社のガバナンスの緩さが、福島の原発事故を引き起こしたと僕は考えている。独占を排し、電力自由化もさらに進める必要がある。市場での競争を通して、電力会社のガバナンスを高めていくべきだからである。

東電は、川崎天然ガス発電所などの独立系の発電所に対して、一方的に高い託送料を押しつけてきた。原発事故をきっかけに、発電所と送電線を分離するという方針を政府はようやく打ち出したのだ。

東京は、福島と柏崎刈羽の原発に電力を依存してきた。他県の〝生産地〟から東京の〝消費地〟まで距離がありすぎた。だから電力は無限に供給されるという錯覚に陥ってしまう。「遠いところから送られてきているから、電力のことはよくわからない」という姿勢だったからこそ、多くの都民は福島第一原発に無関心で、供給側に対しての需要サイドからのチェックが甘くなっていった。

その状況を改善するため、電力の大量消費地である東京都がみずから行動を起こし、「地産地消」の東京産エネルギー確保に取り組む姿勢を示さなければいけないと思った。目に見えるところに発電所ができれば、都民にも自覚が芽生え、チェックも行き届くようになる。

電力の集中型と分散型

電力の地産地消はリスクの分散にもなる。巨大な原発をつくり、1カ所で大きな電力を生み出す「集中型」のシステムよりも、全国各地にコンパクトな発電所をつくって地域の電力需要を満たす「ネットワーク型」のほうが、万が一のときに発電所が停止してしまったときの被害が少ない。影響を受ける範囲も狭いし、失われる電力も小さいから、代替策もとりやすい。

建設コストが安く、場所を選ばない発電所が全国の都市近郊に散らばる。農山漁村には太陽光や風力などの再生エネルギーが分散して、電力の地産地消が進めば、送電線への負荷が少なくて済むから、電力の送電ロスも抑えられる。

都市型で考えれば、たとえば、六本木ヒルズは地下に自家発電システムを備えている。地下から電気が上がってくるから東電の送電線は不要だ。約4万キロワットの発電量力で、54階建てのタワーとホテル、2棟のレジデンスは自給体制ができている。首都直下型地震で東京の電力が止まったとしても、六本木ヒルズに停電はない。

だから、六本木ヒルズにはゴールドマンサックスやバークレイズなど外資系金融機関がオフィスを構えている。24時間体制のグローバル企業にとって、電力の安定供給は必須条件のひとつである。電力設備コスト、発電コストはテナント料に反映されるから割高になるはずだが、それでも停電のリスクよりも安定を求める。「外資を呼び込め、法人税を下げろ」とのかけ声だけがあっても、こうした設備への投資がなければ外資は来ない。

火力発電所の老朽化対策という点でも、ハイブリッドの天然ガス発電所は大きな意味を持つ。石炭・石油発電所は発電効率が悪く、二酸化炭素や窒素酸化物の排出量が多いなど、新たな課題を抱えている。とくに二酸化炭素排出について言えば、石炭発電に比べて、天然ガス発電は2分の1と非常に少なくなっている。効率のよい比較的クリーンなエネルギーへの移行をすみやかに進める必要があった。

福島第一原発事故を受けて、発電の主役は火力発電（3900万キロワット）が担っている。しかし、この東電の火力発電の4割、1500万キロワット分は、運転開始から35年を超える「老朽火力」なのだ。しかも、そのうちの1000万キロワット分は、東京都・神奈川県・埼玉県・千葉県という首都圏エリアに集中している。早晩、東電はこれらの設備の更新を迫られるに違いない。

そこに浮上してきたのが高効率の石炭火力発電という神話だった。

日本製の高効率石炭火力発電は、豊富で廉価で安定供給できる石炭を原料として国内だけでなく世界の電力需要をまかなう主役、という神話である。

優秀な高効率の石炭火力発電？　たしかにそういうものがあれば当座の電力不足をしのぐ救世主になるのかもしれない。そう思わせる表現なのだ。

しかし、現実はそうではなかった。世界は別の方角へ歩みを進めていた。

日本製の高効率の石炭火力発電は世界市場（途上国のアジア市場が中心）において優位にあると思われていたが、じつは中国製の石炭火力に、性能面でも価格面でも負け続けていたという現実が一般には知られていなかった。経済産業省はデータを出してはいたが、わかりやすい統計に加工していなかったから（隠しているに等しい）、記者クラブはきちんと報じていいなかった。

高効率の石炭火力発電はほんとうに〝高効率〟なのか？

2020年1月21日、小泉進次郎環境大臣は、石炭火力プラントの輸出の在り方、いわゆる「輸出4要件」（後述）について記者会見でこう問題提起した。

ベトナムで進められてきた途上国へのODA（政府開発援助）事業としての石炭火力のプラント建設計画がある。ところが設計・調達・建設をするのは中国とアメリカ企業で、日本は商社が出資するだけだったのだ。優秀なはずの日本製の高効率石炭火力ではないのだ。どういうことなのだろうか。

「今日は1件、具体的なことに触れたいと思いますが、いまベトナムの石炭火力、ブンアン2という案件があります。この件に関しては、実態としてどうなっているかというと、日本の商社が出資をして、そしてＪＢＩＣ（国際協力銀行）が入り、これは結果的にプラントのメーカーとして中国のエナジーチャイナ、そしてアメリカのＧＥ（ゼネラルエレクトリック）、こういった形で成っています。私は、いままでこの4要件の話の中でさんざん聞いてきたひとつのロジックというのは、日本がやらないと中国が席巻すると、そういったことも聞いてきました。しかし、この構図は、日本がお金を出して、結果、つくっているのは中国とアメリカと、こういう実態を私はやはりおかしいと思います。こういった具体的な事例が見つかったこともひとつ契機としまして、各省庁との議論、そして問題提起を引き続き行っていきたい」

日本の石炭火力は効率が高いはずだったのに、実際には中国に追いつかれていて、さらに価格面でも負けてしまい世界市場が奪われていた。日本企業は投資金融としての立場で資金を提供しているだけ、が現状なのである。このあたり、繰り返すが記者クラブがきちんと説明する能力がないのが問題なのだ。

ベトナムのブンアン2のプロジェクトには、ＪＢＩＣが融資を担当しているにもかかわらず日本製の石炭火力発電は使われていなかったことが判明した。

ベトナムにはすでにブンアン1と呼ばれる石炭火力発電が２０１５年に稼働を開始しているが、ブンアン2はその真横に建設される。ブンアン1については石炭輸送時に周辺に汚染がまき散らされるとして輸送車両をブロックする住民運動も起きていた。２０１６年には近くの製鉄所から出た廃液で海岸線で魚の大量死が発生し、ベトナム史上最悪の環境汚染と全国各地で抗議の声が上がった。そういうなかで日本が公的資金を投じて石炭火力発電所をつくる意味があるのかという疑念がある。

ブンアン2は、日本のＯＤＡ（政府開発援助）の一環で始められた60万キロワットを2基つくるプロジェクトで、三菱商事の子会社が40パーセント出資し、香港の電力会社も40パーセントを出資、日本の中国電力が20パーセントであった。事業規模は２４００億円だった。

公的金融機関は、ＪＢＩＣ（国際協力銀行）と韓国輸出入銀行、民間金融機関はみずほ銀行、三菱ＵＦＪ銀行、三井住友銀行、三井住友信託銀行など護送船団方式で名を連ねている。

気候変動に対する脱石炭の波で、香港の電力会社も出資を引上げ韓国電力公社に代った。当初銀行団に名前が挙がっていたシンガポールの銀行、イギリスの銀行は石炭火力発電へのファイナンスを禁止する方針となり撤退した。脱石炭の動きを知っているシンガポールとイギリスの銀行は足早に逃げ去ったのに、日本の銀行団は脱炭素の国際的潮流への感度が低いから残ったのだ。

電力不足が常態だったベトナムは、現在、再生エネルギーが拡大している。国際環境NGO・FoEによるとベトナムは「気候変動脆弱性インデックスにおいてつねに上位に位置付けられ、2001年から10年間で異常気象や自然災害によって毎年GDPの1・5パーセントに相当する損失が生じている。2020年に再生エネルギー85万キロワットが目標とされていたが、太陽光発電が電力網につながることですでに450万キロワットの電力が供給されている」という。

イギリス系の銀行、香港の電力会社が撤退し、日本の発電メーカーの輸出もないことが判明したブンアン2プロジェクトは、結局、日本の税金を使い、環境汚染をまき散らし、現地の人びとに歓迎されずに進行している。

あらためて高効率石炭火力発電とはどういうものか説明しておこう。

ふつうの石炭火力は蒸気タービンのみで発電するが、蒸気の温度や圧力を増すことで発電効率をアップさせる方式で、「亜臨界圧」→「超臨界圧」→「超々臨界圧」の順に効率

図1-3「高効率な石炭火力発電（USC）」でも、CO_2削減率はわずか数%。ガス火力の2倍の排出量

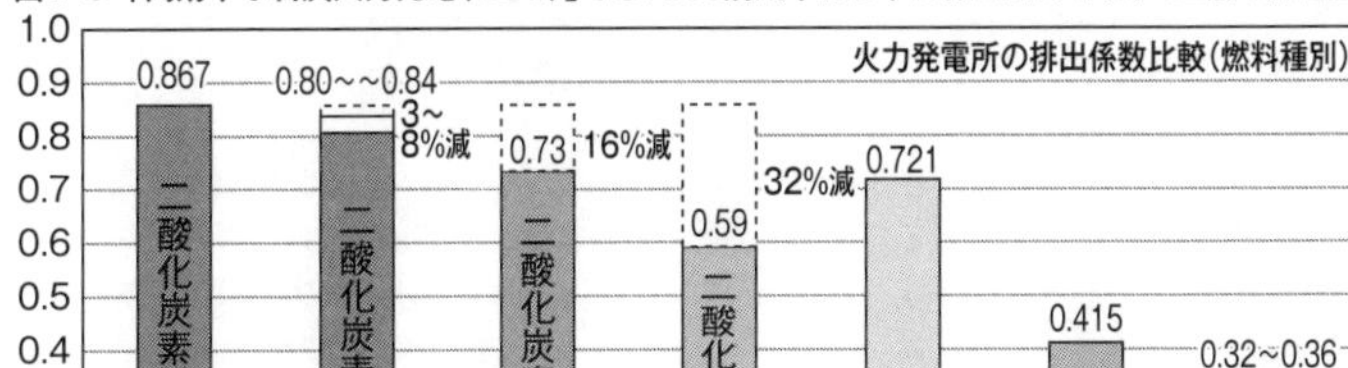
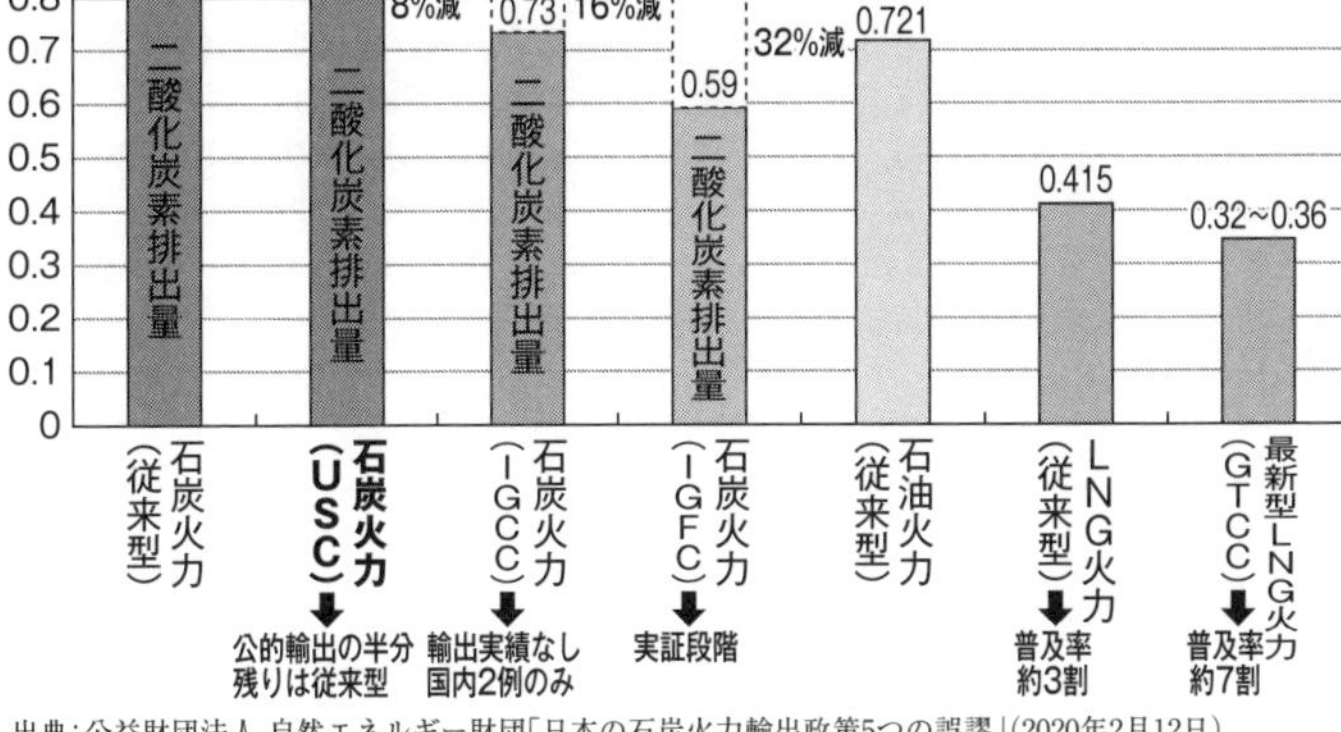

出典：公益財団法人 自然エネルギー財団「日本の石炭火力輸出政策5つの誤謬」（2020年2月12日）
環境省「カーボンプライシングのあり方に関する検討会」（第1回）
資料5「カーボンプライシングの意義」

が高くなる。「高効率」とされるのは「超々臨界圧（USC）」のことである。

日本式の「超々臨界圧」の石炭発電は世界トップクラスというのが資源エネルギー庁がしきりに宣伝している高効率石炭火力発電の神話である。

しかし、高効率という言葉の響きの陰で隠れている実際の数値はどうなのだろう。

自然エネルギー財団「日本の石炭火力輸出政策５つの誤謬」に示された環境省のデータ（「カーボンプライシングのあり方に関する検討会」２０１７）にあるCO_2排出係数で比較してみるとわかりやすい。

１キロワットh当たりの発電をしたときにどのぐらいのCO_2が排出されるか。従来型の石炭火力は８６７グラム出るのに対して高

効率石炭火力では800から840グラム、したがってその差はせいぜい8パーセントから3パーセントぐらいでしかない。川崎天然ガス発電所のようなLNG最新型GTCC発電では二酸化炭素の排出量は320グラムから360グラムであり、従来型石炭火力の半分以下の数値であり、こちらのほうが遥かに二酸化炭素の排出量は低い。

高効率石炭火力は日本が世界一である、はつくられた神話であると証明されてしまう。こうした事実が明らかになるにつれ、ますます国際社会の批判が強まるわけだが、在京の英国大使館で開かれた気候変動・温暖化のイベントでCOP26のジョン・マートン特使が日本の対策について批判した。その翌日の記者会見で小泉大臣は、事実の積み重ねにより高効率石炭火力に否定的な見解を述べるようになった。

「ジョン・マートン氏が日本の温室効果ガスの1人当たりの排出量が90年から減らず、2011年の福島の原発事故以降は増えているとのデータを提示されたが、日本で行われているまことしやかな議論というものは20年ぐらいデータが更新されていない。……日本の最高効率といいますけど、残念ながらいま技術を見ると、日本と中国の石炭火力、これは技術力ではもう同等です。中国は日本の60倍以上建設実績を持っていますから。石炭火力はインフラ輸出の戦略の中でも重要だと言われますが、今年インフラ輸出目標を30兆円掲げていても石炭火力の輸出は1パーセント程度です。もう柱ではありません。こうした客

図1-4　石炭火力輸出正当化論の５つの誤謬

1	最近の石炭火力発電は、ずいぶんクリーン。新しい高効率発電で古い火力を代替し、CO_2を削減する 資源エネルギー庁「なぜ、日本は石炭火力発電の活用をつづけているのか？」(2018年４月)	➡	現実は「高効率な石炭火力」でも、CO_2削減率はわずか数％。ガス火力の２倍の排出量。
2	日本の最高効率技術を、中国、インド、米国の石炭火力に適用すると、CO_2削減効果は約12億トン 資源エネルギー庁「なぜ、日本は石炭火力発電の活用をつづけているのか？」(2018年４月)	➡	12億トンといっても、削減率は２割に満たない。８割以上のCO_2排出を長期間、固定化してしまう。
3	日本の石炭火力発電の効率は世界でトップ。運転実績のある日本の技術が相当優れている 資源エネルギー庁「日本の石炭政策について」(2015年５月)	➡	今や中国の石炭火力は技術力で日本と同等。日本の60倍以上の建設実績。
4	石炭火力発電を選ばざるを得ない国々に日本が持つ高効率発電技術の輸出を行っている 資源エネルギー庁「なぜ、日本は石炭火力発電の活用をつづけているのか？」(2018年４月)	➡	東南アジア諸国でも自然エネルギーが拡大中。石炭火力からの転換支援こそ、日本の役割。
5	2020年30兆円のインフラ輸出戦略に石炭火力輸出を位置付け 第43回経協インフラ戦略会議 2019年６月	➡	石炭火力の公的輸出実績は、目標額の１％程度。価格競争力では中国に完敗。

自然エネルギー財団「日本の石炭火力輸出政策５つの誤謬」より筆者作成

観的な事実に基づく議論がされて、ＣＯＰ26、その場が日本が一歩前に進んだと、そう思われる環境整備を進めていかなければいけない。関係省庁と様々な議論をやってしっかり前に進めていきたいですね」

輸出4要件の見直し

石炭火力発電事業は、発電所に関する権限が経済産業省にあり、環境省には発言権がなかった。この構造的な問題を変えていこうとして、環境省に「ファクト検討会」（２０２０年４月１日に発足した石炭火力発電輸出への公的支援に関する有識者ファクト検討会）を設置するなど、最新のファクトやデータに基づいて意思決定ができる環境をつくり上げようとした。この「ファクト検討会」の成果は翌月（5月26日）に公表され、「売れるから売るのではなく、脱炭素への移行が促進されない限り輸出しない」と環境大臣による「脱炭素化原則」が宣言された。

小泉大臣が問題視した「４要件」とはどういうものか。

「パリ協定を踏まえ、世界の脱炭素化をリードしていくために、相手国のニーズに応じ、再生エネルギーや水素等を含め、CO_2排出削減に資するあらゆる選択肢を相手国に提案し、「低炭素型インフラ輸出」を積極的に推進。その中で、①安全保障及び経済性の観点から石炭エネルギー源として選択せざるを得ないような国に限り、②相手国から、我が国の高効率石炭火力発電への要請があった場合には、③ＯＥＣＤルールも踏まえつつ、相手国のエネルギー政策や気候変動対策と整合的な形で、④原則、世界最新鋭である超々臨海圧（ＵＳＣ）以上の発電設備について導入を支援」するとされていた。

この４要件の見直しについて、環境省側から経済産業省など関係省庁への説明が繰り返された。小泉環境大臣は、梶山経産大臣へ直接はたらきかけるために経産大臣室を訪問している。

もともとこの４要件を定めたのは「海外経済協力インフラ戦略会議」というあまり表に出ることのない非公開の会議である。

２０１３年に第２次安倍政権が発足した直後に立ち上げたもので、省庁横断的な考え方で成長戦略を明確にしながら、いわば国家戦略にあたる輸出と海外投融資を制度的に推し進めるプロジェクトだった。会議は議長が内閣官房長官、構成員は副総理兼財務大臣、総務大臣、外務大臣、経産大臣、国交大臣、経済再生担当大臣に限られている。

事務局は内閣官房であり、安倍首相側近の今井尚哉秘書官が仕切っていた。新幹線や原子力発電所、それにすでに触れた高効率石炭火力発電所など大型案件を首相が先頭になって売り込む活動をしてきたが、価格で中国勢に敗れるなど必ずしも成約が増えたわけではない。

印象に残る出来事といえば2019年1月に日立製作所の中西宏明会長（当時、経団連会長）が、「民間の投資対象とするのは難しくなった」と英国における原発新設計画の凍結を発表したことだ。いくら首相が先頭に立った国策とはいえ、利益が出せない事業はできない、とさじを投げたのである。

新幹線や原発だけでなく石炭火力の売込みでも状況が様変わりしていた現実に気づかねばならなかった。

2020年7月9日、経協インフラ会議により「インフラ海外展開に関する新戦略の骨子」が発表され、ようやくこの石炭火力発電の輸出は「支援しないことを原則」と明記された。

現行の4要件はそれぞれこう変わった。

「エネルギー安全保障と経済性の観点」→「脱炭素を前提としたエネルギー安全保障と経済性の観点と変更」

「我が国の高効率石炭火力発電への要請があった場合」→「脱炭素移行の一環であることを要件に追加」

「相手国のエネルギー政策や気候変動対策と整合的な形で」→「パリ協定の目標達成に向けた政策や対策の継続的強化を要件に追加」

「原則、世界最新鋭である超々臨界圧（ＵＳＣ）以上」→「常に最新の環境性能とする要件に改正」

すでに記したがベトナムのブンアン２のプロジェクトには、日本製の石炭火力発電は使われておらず日本のインフラ輸出に貢献していなかったのだ。

４要件は今後のインフラ輸出に適用されるが、進行中のブンアン２は中止されたわけではない。だが小泉環境大臣によって今後のインフラ輸出戦略において石炭火力発電を禁止する変更がなされたことはＣＯＰ26へ向けてのひとつの成果である。

こうしてインフラ輸出の４要件が見直されたが、では肝心の国内はどうかというと、石炭火力政策の転換はまだ中途半端のままであった。

経協インフラ会議の約１週間前、７月３日に梶山経産大臣は「非効率な石炭火力発電のフェードアウト」方針を経産省として公表しているのだ。たしかにタイトルに「非効率」がつけられ、旧式の火力発電を廃止させようとの意思が現れている。しかし、それならば「高効率」はよいのか、と疑問が生じる。

国内の計１４０基の石炭火力で非効率な老朽火力を１００基程度を休廃止する、との方針が出たのである。１００基とは10万キロワット〜20万キロワットの小規模で老朽化したものであり、それがおよそ１０００万キロワットほどある。そのほとんどが休廃止されたところで、高効率の石炭火力は60万キロワット〜１００キロワットクラスの大規模なものが２０００万キロワット残される。そのうえで現在、建設中の新設火力が９００万キロワットもあり、全体で日本の石炭火力は約３０００万キロワットとなり、石炭火力全廃方針を打ち出しているヨーロッパ各国の努力と真反対の方角へ進みつづけることになるのだ。

しかも「高効率」という触れ込みは、国内では通用するかもしれないが、国際的にはすでに虚偽であることが知られている。所詮は高濃度のＣＯ２を排出する石炭火力ではないか、と見られている。

すでに述べたが、２０１９年度実績では日本の電力構成比ではじつに石炭火力は32パーセントという驚異的な数値であり、２０３０年の目標値26パーセントにさえ遠く及ばないのである。しかも２０３０年の目標値26パーセントは２０１５年につくられたもので、世界の再生エネルギーへのシフトの動きから考えると、ヨーロッパ各国が廃止を宣言しているのだから限りなくゼロに近い数字にしないといけないはずだ。

２０２１年11月に開催される１年遅れのＣＯＰ26にこの数字のまま参加すれば、日本は化石賞どころから非難轟々、袋叩きに合い国際的な信用を大きく失うことになるだろう。

その前に何ができるか。なぜこうなったのかを検証しながら考えたい。

原発一本足打法で始まったエネルギー基本計画

２０２０年10月13日に政府のエネルギー基本計画の改定の議論が始まった。エネルギー基本計画は、３年に１度の改定が義務づけられており、今回の改定は２０１８年５月以来の改定となる。ＣＯＰ25で化石賞を授与された日本は、コロナ禍でＣＯＰ26が２０２０年から２０２１年にと１年遅れにズレたことは好機で、その間に菅首相の「２０５０年カーボンニュートラル宣言」も挟み込むことができた。

ＣＯＰ26で、２０３０年を目標とした電源構成（発電に利用される電源の内訳、エネルギーミックスとも呼ばれる）を新しく改定した数字で示さなければ国際的信用を失う。もうあとがない。

最初のエネルギー基本計画は２００３年まで遡ることになる。国家の中長期的なエネルギー計画をつくるためのエネルギー政策基本法は２００２年に成立し、これに基づき決定された。

当時の経済産業省で若手官僚として政策立案の現場にいた福島伸享（元民主党議員）は、

このエネルギー基本計画のスタートから「原子力一本足打法」に偏っていたと述懐している。

「冷戦終結後、世界的なエネルギーの自由化と環境問題が高まっていった時代、それを原子力で解決しようという選択を世界の中で一番強く打ち出したのは日本でした。３Ｅの解決策を原子力でやろうとしたのです」

３Ｅとは、エネルギーの安定供給（Ｅｎｅｒｇｙ Ｓｅｃｕｒｉｔｙ）、経済効率性（Ｅｃｏｎｏｍｉｃ Ｅｆｆｉｃｉｅｎｃｙ）、環境への適合（Ｅｎｖｉｒｏｎｍｅｎｔ）のことであり、当時はまだ安全性（Ｓｅｃｕｒｉｔｙ）という観点は重視されていなかった。３ＥにＳが加えられ「３Ｅ＋Ｓ」が打ち出されたのは3・11後である。

１９９７年12月に気候変動枠組み条約第3回締約国会議（ＣＯＰ３）が京都で開催され、採択された京都議定書は必然的に日本が中心になってとりまとめられた。京都議定書に定められている温室効果ガスの削減目標を達成するため、当時の資源エネルギー庁は原発の増設を打ち出している。

ところがヨーロッパ各国は必ずしも原発にだけ頼ろうとはしていなかった。脱原発路線をひた走り始めていたドイツだけでなく、他の主要国も原発一辺倒ではなかったのだ。なぜなら冷戦終結をきっかけに、世界では電力システムの改革が足早に進められていた。イギリスでは鉄道の民営化だけでなく電力の自由化も１９８９年に始まっており、その後、ＥＵ全体に波及し１９９６年にＥＵは電力自由化指令を施行した。

ＥＵの加盟国に対して国ごとに分かれている電力市場の垣根を取り払い、ヨーロッパ全体を単一の電力市場とするよう目指し、従来の電力会社の地域独占を撤廃した。電力の自由化により電力会社の間の競争を促し、また既存の地域独占の電力会社でない新規参入も増えて競争が激化することで電力料金が下がり、消費者の負担も減る。そうしたロジックで電力の小売り自由化と発送電分離がＥＵ全体に拡大した。

電力システム改革が起こると、それに合わせて資金の流れも変わる。送配電網などは公的信用保証のもとで投資されるが、発電や売電は自由なマーケットとして開放されることで民間資本が入り新しいビジネスの戦場に変わっていく。そうなると発電方法もそれにともなうプラントの規模など金融的に成り立つかどうかで商品が選別される。

自由化以前の電力公社的な性格が強い場合は社債などを発行して多少経済性に問題があってもなるべく安定供給できるような発電所を建設できるが、そうでない場合は他の資本市場と変わりない競争にさらされるので、１基１００万キロワットの原発のような投資は避けるように市場原理がはたらいて、同時に地域分散型の自然再生エネルギーの普及が進展した。つまり電力の自由化と再生エネルギーの拡大は密接な関係があるのだ。アメリカも1996年に送配電網の開放が始まっている。

日本国内では地域独占の発送電一体の規制産業というぬるま湯にどっぷり漬かっていたから、原発一本足打法に少しも疑問を持たなくて済んだ。高いコストで原発をつくり、銀行もぬるま湯の融資で利益をあげ、電力会社も利益をあげ、ただ消費者だけがそのツケを払わせられる。

電力自由化と原子力発電は両立しない構造になっていたのだ。発送電分離などの自由化を進めていた多くの欧米主要国は、原子力に頼る温室効果ガス削減の道は取らなかった。純粋な民間ビジネスとして発電事業が行われているこれらの国々では、投資額が大きくしかもリスクも大きい原子力発電はビジネスとして成り立ちにくいからだ。

にもかかわらず日本だけがなぜ原子力一本足打法へと向かったのか。ひとつは電力の自由化が地域独占の9電力会社（沖縄を入れると10電力会社）によって阻まれ、完全自由化に踏み切れなかったこと、もうひとつは霞が関の官僚にとって発電容量の数字の帳尻を合わせるのに原子力は好都合なエネルギー源であること。1基で100万キロワットの発電所がポンとできるからCO_2削減が簡単にクリアできる、そういう安心材料になったからだ。

こうして電力事業者と三菱重工・日立製作所・東芝など重電メーカー、そして行政との間で利害が一致する、そんなぬるま湯のなかで日本のエネルギー計画が練り上げられていくのである。

エネルギー基本計画は3年から4年に1回のペースで改定されてきた。２００３年に最初のエネルギー基本計画がつくられ、第2次エネルギー基本計画は２００７年で原発推進の方向はより進んだ。そして２００９年に民主党政権が成立した翌年の菅直人首相の下でつくられた第3次エネルギー基本計画では原発への依存が一段と強まった。それは史上最大の原子力推進計画とも評された。２０１２年までに9基、２０３０年までには14基以上の原発の増設、さらには輸出が盛り込まれた。

第2次安倍政権での海外への原発売込み行脚は、安倍首相の独創ではなくこの第3次エネルギー基本計画で敷かれた路線の延長にすぎないのであった。そしてことごとく失敗しているのも三菱重工、日立製作所、東芝などのプラントメーカーが競争なき国内市場のぬるま湯に漬かっていたことと無関係ではない。

ただ皮肉なことにこの菅直人政権時代に２０１１年の3・11東日本大震災が起き、福島第一原発の大事故が発生した。にもかかわらず事故前につくられた第3次エネルギー基本計画に盛られた輸出促進はそのままで、国際競争力の確保のために安全規制も緩和してかまわない、という姿勢は第2次安倍政権にそのまま引き継がれた。

世界的な電力の自由化で原発の新設が進まなくなり、ヨーロッパ各国もアメリカも原子力事業をどう切り離そうかと苦心していたわけだが、電力自由化の意味がわからないガラパゴス化した日本の重電企業は逆に売込みのチャンスだと考えた。アメリカもイギリスも原子力産業をどんどん切り離そうとしていたにもかかわらず。

そのなかで起きたのが東芝粉飾決算事件に発展するウェスチングハウス買収だった（2006年、6400億円という相場の2倍以上の高価格での買収はババをつかまされたと評されている）。

資源エネルギー庁の若手官僚だった福島伸享は、菅政権時代に民主党衆議院議員になっているが、菅政権の原子力推進計画に異論を唱えたと『エネルギー政策は国家なり』にこう記している。「もう政策として破綻が明らかな『原子力一本足打法』をさらに進める酷いものではないかと。安全規制の緩和をしろ、検査ももっと軽くしろみたいなことすら書かれていて、卒倒してしまうような内容」だった。

たとえば高速増殖炉「もんじゅ」について「2010年5月に試運転が開始された高速増殖炉もんじゅの成果等を反映しつつ、2025年ごろまでの実証の実現、2050年より前の商用炉の導入に向け、引き続き推進する」とあった。

このように原子力を推進しさえすれば、国にとっては安定供給の命題も二酸化炭素の削減目標の達成も可能となり、電力会社にとっては経営の安定が確保され、すべての関係者への「打ち出の小槌」に原子力は位置づけられていたのだった。

だが「もんじゅ」はあれから一度も稼働せず2017年に廃炉が決定する。高速増殖炉はフランスとの共同研究に望みを託したが、フランスの「アストリード炉」もついに廃炉が決まって息の根が絶たれた。

しかし「原子力一本足打法」にはそもそも無理があったのは振り返ればわかるはずだった。1995年の高速増殖炉「もんじゅ」のナトリウム漏れ事故、その翌年に新潟県西蒲原郡巻町の巻原発建設計画が初めて住民投票で否決され、1999年には、茨城県東海村でJCOの臨界事故。2002年には、東京電力の福島第一原発や柏崎刈羽原発でのトラブル隠しが起きるなど原発への逆風はたしかに吹いていたのだから。

「電力システム改革」への期待

3・11によって「原子力一本足打法」はとにかく表面的には挫折したのである。

その結果、2014年4月に閣議決定された第4次エネルギー基本計画はこれまでのエネルギー政策の抜本的な見直しを迫られていた。

以下のように福島の原発事故への反省が込められている。

「東京電力福島第一原子力発電所事故で被災された方々の心の痛みにしっかりと向き合い、寄り添い、福島の復興・再生を全力で成し遂げる。震災前に描いてきたエネルギー戦略は白紙から見直し、原発依存度を可能な限り低減する。ここが、エネルギー政策を再構築するための出発点であることは言を俟たない。

政府及び原子力事業者は、いわゆる『安全神話』に陥り、充分な過酷事故への対応ができず、このような悲惨な事態を防ぐことができなかったことへの深い反省を一時たりとも放念してはならない」

心情的な昂りがあっても、解決策が具体化されたわけではない。

それでも「電力システム改革」や「北米からのＬＮＧ（液化天然ガス）調達など国際的なエネルギー供給構造の変化」なども念頭に入れながら、「原発依存度の低減」「化石資源依存度の低減」「再生可能エネルギーの拡大」を打ち出した。

さらに翌２０１５年、この第4次エネルギー基本計画を指針として「長期エネルギー需給計画見通し」を経済産業省が取りまとめることになる。なぜなら２０１５年12月にパリで開催されるＣＯＰ21では地球温暖化対策の新たな枠組みで世界各国が合意する予定になっている。これがパリ協定である。ＣＯＰ21に出席するにあたり、日本としては２０３０年時点での電源構成（ベストミックス）のメニューを示さなければならない。

「長期エネルギー需給見通し」の議論は年明けとともに始まった。

どこで討議をしたのか。役所の議論としてはめずらしいのだが、「総合資源エネルギー調査会基本政策分科会長期エネルギー需給見通し小委員会」という長い名称の委員会が設置され、14人の各界有識者に加え経産省は資源エネルギー庁長官はじめ7人、そのほかに内閣官房、外務省、農水省、国交省、環境省から課長級が各1名出席し、半年にわたり11回開かれ、討議は公開された。

個人や団体からのパブリックコメント２０６０件、別にエネルギーミックスに関する意見箱が設置され、１０２９件の意見が寄せられた。

３・11の福島原発事故を受け、すでに政府は原発の削減方針を打ち出し、大手電力に老朽原発の廃炉を促していた。電力会社側は、少しでも多くの原発を稼働したい旨のアピールを遠慮がちにだが執拗に繰り返していた。だから国民の関心が高かった。この時点でほとんどの原発は稼働していなかった。

小委員会では、電源構成のなかでの原発の比重をどのくらいにするかで白熱した議論が続いた。原子力規制委員会の新規制基準の求める原則40年で廃炉した場合、48基の原発のうち２０３０年時点では30基が廃炉になる計算だった。建設工事中の中国電力・島根原発、Ｊパワーの大間原発は稼働できるのか不明で、電源構成のなかに位置付けるのか決められない。

2010年時点の電源構成では原発の比重は25パーセントだった。小委員会は、2030年を目標とした原発の電源構成比を、結局「20パーセントから22パーセント」と幅を持たせることになった（この数値は以後、ずっと改められることがなくいまも残されている）。

小委員会の最終の11回目の討議のなかで橘川武郎（当時・東京理科大教授）は、「原発依存度を最大限下げる、再生エネルギーについては3年間加速して取り組む、というエネルギー基本計画に書かれた言葉を入れたのはよいが、肝心なことは数字です。電源構成における原発比率は15パーセントの水準がいちばん国民が納得する形で原子力を使っていく道ではないかと。したがってこの案（原発20～22パーセント）には反対」と述べている。

この議論がこれで終わりでないことは河野康子委員（全国消費者団体連絡会事務局長）の「電力システム改革」への期待として残されている。

「電気、ガスに関しましてはこれまで地域独占で、電源について一般消費者の選択肢はありませんでした。コンセントの向こうはブラックボックスで私たちは考える機会を与えられていなかった。今回の長期エネルギー需給見通しにおける新たな視点としては、これからのエネルギーミックスは国民の選択を通して実現されるべきです」

電力の自由化によって消費者が、石炭火力か原発か再生エネルギーか、いずれを選ぶことができれば電源構成も変わってくるからだ。

「第6次エネルギー基本計画」の課題

パリ協定が採択されたのは２０１５年12月である。途上国を含む１９６カ国と地域が参加したＣＯＰ21は、２０２０年以降の新たな温暖化対策「パリ協定」を採択した。世界の温暖化対策がまとまったのは１９９７年の京都議定書（ＣＯＰ３）以来18年振りだった。

パリ協定は産業革命以前からの気温上昇を2度より充分に低く抑える目標を掲げたうえで、１・５度以内と厳しい水準へ努力するとした。すでに1度程度の気温は上昇している。温暖化ガスの排出量を早期に頭打ちにし、今世紀後半には人為的排出量を森林などによる吸収量と均衡する状態まで減らし、カーボンニュートラルの実現を目指すとした。

その後、各国においてパリ協定の批准が進み、２０１６年11月に発効した（アメリカはトランプ大統領がパリ協定を離脱したがバイデン大統領に交代するとすぐに復帰）。「エネルギー基本計画」はこれまでに1次、２次、３次、４次と改定されてきたが、２０１８年7月に「第5次エネルギー基本計画」が閣議決定された。ここまでお読みになった読者は首を

図1-5 2030年の電源構成(案)

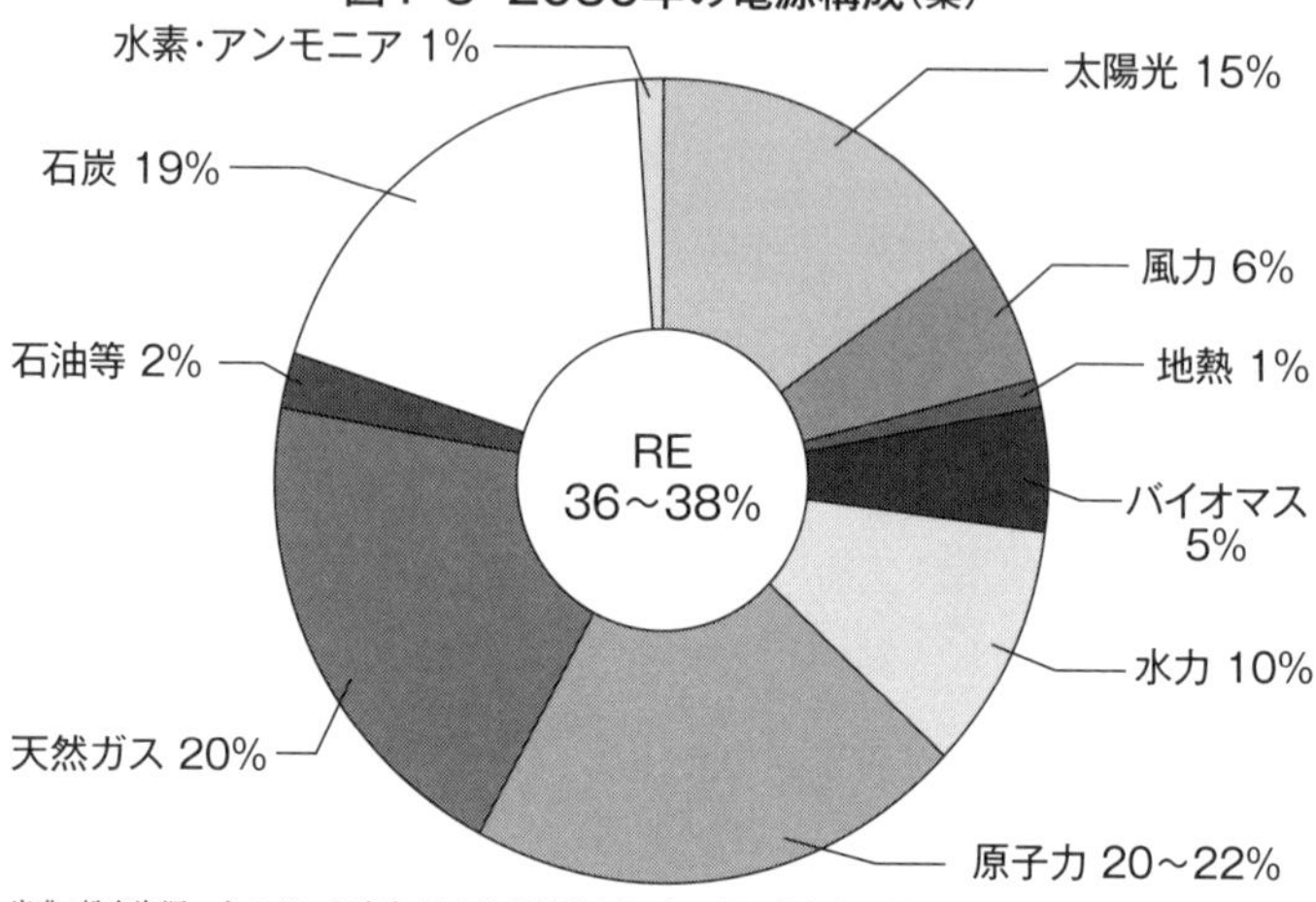

出典:総合資源エネルギー調査会 基本政策分科会「エネルギー基本計画(素案)の概要」

傾げるだろう。そう、はっきり言うなら「エネルギー基本計画」は、改定されても改定されてもつねに堂々巡りの結論へと辿り着くのだから。

第5次の基本計画の特徴は、2つである。

ひとつは「2030年の電源構成比率」は、2015年の長期エネルギー需給見通しと同じ、つまりまったく進化がないこと。もうひとつ、新しい文言として「再生可能エネルギーの主力電源化の布石としての取組を早期に進める」が入ったこと。

主要各国に遅れてはならないとの決意が読み取れるのだが、2030年の電源構成比率に占める再生エネルギーの比率には反映されていない。主力電源化を主張するなら2015年のままの目標である再生エネルギー「22

パーセント～24パーセント」ではなく、目標を30パーセントなり40パーセントへと上方修正しなければいけない。そこがちぐはぐで奇妙な印象を受ける。

電力不足に陥らないためには電源のやりくりは必要にはちがいない。だが２０３０年までには残り10年あるのだ。再生エネルギーの主力電源化を謳うのだから、２０３０年における再生エネルギー比率をいかに高めるかと考えるうえで、石炭火力のフェードアウトでなくフェーズアウトを提言に入れる必要があった。２０５０年の温室効果ガス削減目標の達成・カーボンニュートラルの実現は、その一里塚である２０３０年の電源構成を曖昧にすれば実現できない。

しかし、「石炭火力への固執」を続ける内容のまま、２０１９年６月に「パリ協定に基づく成長戦略としての長期戦略」が安倍内閣で閣議決定された。

２０１９年９月に環境大臣に就任したばかりの小泉進次郎が、ニューヨークの国連本部内で開かれた気候変動問題に関連する会合に出席した際、外国人記者から「石炭火力発電をどう減らすか」と問われ、日本政府の方針と国際社会とのずれを考えれば答えに詰まってしまうのは当然だろう。

繰り返しになるが、さいわいＣＯＰ26は２０２１年11月へ１年延期された。目標の設定を見直す時間が与えられた。２０３０年の電源構成のベストミックスを策定するためにいまが最後のチャンスなのである。

そしていよいよ2021年7月21日、資源エネルギー庁で開かれた総合資源エネルギー調査会基本政策分科会において第6次エネルギー基本計画素案がまとまり2030年の電源構成案は、自然再生エネルギー36～38パーセント、水素・アンモニア1パーセント、原子力20～22パーセント、天然ガス（LNG）20パーセント、石油等2パーセント、石炭19パーセントと決まった。

これまで2030年の電源構成案（17ページの図1-1-2参照）では、自然再生エネルギー比率は22～24パーセントであったから、14パーセントのポイントの引き上げとなるが、ヨーロッパ各国やアメリカの先進州が掲げる50～70パーセントという2030年目標に較べると依然として低い水準にとどまっている。

また原子力は20～22パーセントに据え置かれたままであることには疑問を感じざるを得ない。なぜなら再稼働している原発は10基しかなく、掲げられた目標を達成するためには未稼働の17基をあわせて27基の稼働が求められ、60年運転の許可も得られていない原発8基が含まれる。こうしたその場凌ぎの誤魔化しとも見受けられる数字を残したのは、〝原子力ムラ〟と呼ばれる9電力会社をはじめとした産・官・学の既得権益層への切り込みを躊躇した結果であろう。

気候変動に日本がどう臨むのか。エネルギー政策と環境政策を経産省（資源エネルギー庁）と環境省とにタテ割りにしたままの現状では国家戦略としての新たな方針をつくることができない。イギリスのような気候変動委員会（独立した政府諮問機関）を立ち上げる必要があるだろう。

第2章

急加速するEVの時代

トヨタのEV（電気自動車）

豊田章男・トヨタ自動車社長は2020年12月17日、オンラインで報道関係者と懇談した際に、「カーボンニュートラルに全力でチャレンジする」と述べたが、「石炭火力発電など日本のエネルギー政策の変革なしでは達成できない」と政府方針を牽制して話題になった。

「電力のほとんどが火力発電で、現状ではEV（電気自動車）をつくるほど二酸化炭素が排出される」のだから再生可能エネルギーを増やすなどの政策の変革をしていただかないといけない、という趣旨である。

火力発電の電力を使ってEVを走らせるなら、むしろハイブリッド車のほうが環境負荷が少ない、との主張はいまのところそれはそれで正しいのだ。しかしその「正しさ」を、僕はトヨタの「危うさ」とみている。

2020年12月に政府（成長戦略会議）は、「遅くとも2030年代半ばまでに、乗用車新車販売で電動車100パーセントを実現できるよう包括的な措置を講じる」と宣言している。

２０３５年までに新車はすべて電動車とする、という表現は、この豊田社長の主張に配慮したかたちになっている。なぜなら電動車には、ＥＶ・電気自動車だけでなくトヨタが得意としていまでは売れ筋商品のＨＶ・ハイブリッド車も含まれているからだ。さらには２０１７年からトヨタが生産を始めたＰＨＶ・プラグインハイブリッド車（２０１２年に生産したＰＨＶは性能が低く売れず、いったん生産を中止）や世界の先端を歩む水素を原料とするＦＣＶ・燃料電池車も含まれる。

ハイブリッド車は、オールバッテリーで動くＥＶ車と違い、ブレーキ操作により回生モーターが発電する仕組みでエネルギーを効率よく使う。エンジンを止め、バッテリーの電力のみで走行できるＥＶモードではガソリンを使わないので低燃費走行が実現できる。プラグインハイブリッド車は従来型のハイブリッド車を進化させ、走りながら充電するだけでなく家庭の駐車場でも充電でき蓄電池容量が従来のＨＶよりは少し大きい。燃料電池車はトヨタの独壇場ではあってもまだ価格が高く普及には至らない。

つまり政府の「すべて電動車とする」は、必ずしもＥＶ化ではなく、ＨＶ、ＰＨＶ、ＦＣＶが含まれる苦心の表現になっている。豊田社長への配慮というより日本車の現状への配慮がにじみ出ているのだ。それだけでなく、実際に石炭火力を放置したままその電源でＥＶを動かすのはたしかに愚の骨頂に違いない。

豊田社長はそこを突くが……。

「EV化でガソリン車を廃止しましょう、電動化イコールEV化と対立的に報道しますが、実際に乗用車400万台をすべてEV化したらどうなるか。夏の電力の使用ピーク時に発電能力を10パーセントから15パーセント増やさなければいけません。原発でプラス10基分、火力発電ならプラス20基分の規模ですよ。さらにすべてEV化した場合に充電インフラの投資コストは14兆円から17兆円かかります」

日本の電力事情を考えた場合、豊田社長の言い分はいっけん筋が通っている。ただ日本の電力事情を変えていけば解決の道筋も見えてくるはずだ。

EVではなく電動車という用語にこだわるのは、EV化によってこれまでの自動車産業の構造そのものが破壊されてしまうことへの危惧だろう。EV車の部品1万点に対してガソリン車の部品は3万点あるとされ、自動車産業の雇用はこうした部品点数の多さによって維持されている。いきなりガソリン車が廃止されEV車へ移行したら膨大な失業者が生まれる。

「今年（2020年）コロナ禍において就業者数が日本全体では93万人減ってきております。しかしながら、自動車業界は11万人増やしております。これがもし仮にカーボンニュートラルで日本でつくるクルマはCO_2の排出が多いためつくれなくなると雇用にマイナスの影響は避けられません。それがこの国にとってよいことかわるいことか、皆さんの良識にお任せしますが、ぜひとも考えていただければ……」

ＥＶ車でなく電動車と述べるホンネはここにある。その事情は理解するとしても、世界がＥＶ化に向かって一気に大転換をはかっているときに電動車にこだわっていれば「世界のトヨタ」が取り残されてしまう恐れがある。まるで産業革命に反対する19世紀前半の労働者のような言い分（機械打ち壊しのラッダイト運動）であることに気づいていない。なぜなら雇用を守るためにイノベーションを否定するのだから。

トヨタは２０１９年に、ＥＶ化が電動車化のすべてではないことを世界市場の趨勢にするため、ＨＶやＰＨＶの電動車化の特許技術を無償公開した。その決断は必ずしも間違ってはいないが、やるなら10年前にやるべきだった。いまＥＶ化の進行スピードは予想をはるかに上回って加速しているのだから取り残されるリスクも高い。

これまでの考え方では、電動車としてＨＶが普及し、それが進化してＰＨＶへと進み、最後にＥＶが漸次に一般化していくはずであった。バッテリーの能力の進化と平行すればそうなるからだ。だが現実はその階段を順次に昇っていかなかった。階段を跳び越え、スキップしてＥＶ化が進みつつあるのだ。

未来志向の世界の先端的なトレンド

アメリカのＥＶカーの先駆的メーカーであるテスラが株式時価総額で世界のトヨタを抜いたのは２０２０年7月であった。いまはさらに差が開いてトヨタの30兆円に対してテスラはじつに2倍の60兆円に達している。

さらに付け加えるならば、テスラのチーフエンジニアであったピーター・ローリンソンが立ち上げたルーシッドモータースが、テスラのライバルとして浮上してきて、まだ1台の販売実績がないにもかかわらず（新車販売は２０２1年末を予定）、期待値だけで株式時価総額が日産自動車を上回る2兆５０００億円まで膨らみはじめた。

トヨタの豊田章男社長の電動車という思惑を超えた世界が現れているのだ。いったい何が起きているのか、である。

それを理解するには伏線として世界で起きているエネルギー革命の一環としての別の数字を示さなければならない。

日本がオイルショックに晒された１９７０年代、世界の石油供給を支配している米欧の巨大企業をセブンシスターズと呼んでいた。シェルとかモービルなどガソリンスタンドの名称から何となく名前を知っているそれらスーパーメジャー7社は、日本の出光興産などとは桁違いの巨大企業で陰謀渦巻く中東の産油地を支配していた時代があった。

　セブンシスターズはその後、離合集散を繰り返しつつ名称も変遷して、アラブ産油国の国有化攻勢やロシアや中国やブラジルなど新興勢力の国営企業の登場もあって一時期よりもシェアは減らしたが、現在も巨大企業であることには変わりない。

　そのセブンシスターズの一角を占める売上高40兆円のエクソンモービルが、何と再生エネルギーの新興企業ネクステラと株式時価総額20兆円で肩を並べられたのだ。エクソンモービルの時価総額は２０１０年代から下降線を辿っており、いっぽうでついこの間までローカル企業でしかなかったネクステラが急上昇した。

　ネクステラはネクストとエラ、つまり「次の時代」という合成語である。１９２５年にフロリダ州で創業してずっと地域独占の電力会社にすぎなかった。１９７２年に原子力発電所をつくったぐらいであまりパッとしなかったが、90年代後半に社内に再生エネルギー部門をつくり風力発電に乗り出した。

　その後、２０００年代にはフロリダ州からカリフォルニア州やテキサス州にも風力発電を広げ、全米の風力発電事業者をつぎつぎと買収してアメリカ最大手の再エネ企業へと躍進する。２０１０年代に世界最大規模の太陽光発電所をつくり、カナダやスペインにも進出している。

元ローカルの新興企業であるネクステラが、旧来型のエネルギー会社、スーパーメジャーのエクソンモービルを追い抜こうとしている。

ネクステラの1年前の株式時価総額は、エクソンモービルの3分の1程度でしかなかったようにテスラの株式時価総額も2年前はトヨタの10分の1、1年前は2分の1でしかなかった。この1年とか2年で様変わりしたのはエネルギー革命への期待値とみてよい。

テスラは単なる自動車メーカーではなく、持続可能なエネルギー企業として位置付けられているのである。また自らもそのように標榜している。2017年2月にテスラは、それまでの社名をテスラ・モーターズからテスラに変更したのは方向性を明示するためだった。

豊田章男社長は記者会見で「火力発電でCO_2を大量に出してつくった電気でEVを維持し、ガソリン車をナシにするのでよいのか」と疑問を投げかけた。たしかに火力発電が中心で再生エネルギーへの意識が希薄な日本のエネルギー事情で考えると、EVは排気ガスを排出しないゼロエミッション（エミッションは排出）だが、動力源の電気をつくる際にCO_2を排出している。だから厳密な意味ではゼロエミッションではない。走りながら独力で電気を生み出すHVのほうがトータルでは環境負荷が少ない。

だがそれは現状がそうであるからにすぎない。２０３０年に、あるいは２０５０年には再生エネルギーが中心になると見込まれているとなれば話が違ってくる。そもそもすでに再エネ比重の高いＥＵでは通用しない考え方である。

テスラは単に自動車産業ではなくトータルなエネルギー産業として自らを位置付けているのである。

そして、テスラのＣＥＯ（最高経営責任者）のイーロン・マスクは、将来的にエネルギーはタダになる、と述べているのだ。太陽光発電など自然再生エネルギーによる発電施設は、施設の建造費のコストを別にすれば燃料の仕入れは必要ない。

テスラが目指しているのは単に太陽光パネルによる発電ではなく、発電した電気を充電するシステムの開発により、発電所からの送配電の必要のない分散型のシステムの構築である。

いつ、どこから日本は未来志向の世界の先端的なトレンドからはずれてしまったのだろうか。

下降線を辿る「ニッサン・リーフ」

トヨタ自動車は、世界に先駆けるＨＶの発明によってこれまでのガソリンエンジンの常識を覆した。ＨＶ車であるプリウスの名前は誰でも知っているぐらい有名になった。ふつうのガソリン車の燃費が2倍近く向上したからである。

トヨタが環境問題を意識してエンジンとモーターの組み合わせた「21世紀のクルマ」というプロジェクトを始動したのは１９９３年でかなり早い時期だった。「プリウス」はラテン語の「先駆け」からとった。１９９７年に「21世紀に間に合いました」とのキャッチコピーで初代プリウスがデビューする。2倍の燃費性能を達成した、ということはＣＯ$_2$半減を意味する。２０００年に輸出が始まると、エコ意識の高いセレブやハリウッドスターに選ばれ話題になった。

僕も当時はプリウスに興味津々だったが、メルセデスの2シーター、自動で20秒で屋根が開閉するＳＬＫ（注文から2年待ちの人気）に気を奪われた。好奇心がよりそちらに傾いただけである。クルマの欠点は5月の晴れた日に暗い屋根に覆われることだから。

自動車好きの人ははっきり記憶しているに違いない、２０１０年12月に日本初のＥＶとして日産リーフが華々しく登場した。ＥＶの量産車としても世界初だった。

その半年前の６月、東京都副知事の仕事をしていた僕はツイッターにこう打った。

「電気自動車の日産リーフ試乗のため明日、追浜まで行かなくてはいけない。環境政策にどう活かせるか、各社機会があれば試してみる。12月発売だそうだ」

日産自動車の生産拠点である追浜工場は東京湾に面した横須賀市に位置する１７０ヘクタールの敷地に、生産能力24万台の主力工場のほかに、８万台を出荷できる専用埠頭や１周４キロメートルのテスト走行コースもある。

テストコースのゲートに到着すると、明るいブルーのファミリーカーが１台、数人の日産社員に囲まれ鎮座している。じつは僕はそのスタイルを見た途端、幻滅感に襲われた。僕のイメージしていた日本初のＥＶは、日産ではもっともかっこよいフェアレディＺやスカイラインＧＴＲのようなわくわく感を覚えるものであって、眼前のファミリーカーのような平凡なスタイリングではなかったからだ。

そんな表面的なことよりも中身だと思い直した。追浜のテストコースは周囲４キロだから直線コースは１・５キロほどしかない。運転席に坐ると、日産社員から「加速が早く、すぐにカーブになりますから注意してください」と言われた通り、アクセルを踏み込むと一気に１４０キロまでメーターが上がった。慌てて減速しながらハンドルを切った。

ガソリンエンジンとモーターの違いを体感して思った。

「なるほど、EVとはこういうものか」

EVはモーターで駆動するので動きがなめらかに感じる。音がせずに静かだ。ガソリンエンジンのようなシリンダ内でガソリンと空気の混合気を爆発的に燃焼させるピストンの往復運動がないからブルンブルンという音もない。しかもトランスミッション（変速機）がなくギアチェンジが必要ないのでガクッガクッとした振動もない。

ニッサン・リーフは世界最初の本格的なEV量産車として売り出し脚光を浴びたかのように見えた。じじつ僕の試乗から半年後の2010年12月の発売まで、前評判もあって予約が6000台に達した。僕が試乗した話をすると友人が僕にニッサンのコネがあるかと勘違いしたらしく、順番待ちの列を飛び越せないかと懇願してきたほどの人気だ。もちろんそんなコネはない。

ここまではよかった。世界に先駆けて我が日本がEV車の時代を牽引するかのように思われたからである。

しかし、実際には人気は一時的なものだった。なぜなら航続距離（カタログ値）が200キロほどであり、実際にはその7掛け程度でそれではガソリン車には負けてしまうのは仕方がない。

ニッサン・リーフが日本最初の量産車と記したが、少し説明が要る。三菱自動車のｉ－ＭｉＥＶは２００９年発売で正確には量産車としては先輩にあたる。僕はたまたま東工大に特任教授として講座をもっていた。理系の専門科目ではなくリベラルアーツの講座だ。ある日、大岡山キャンパスに着くと正門脇の広場が人だかりになっている。「電気自動車だ」という叫ぶ声が聞こえるので覗き込んでみるとどう見ても不格好なスタイルとしか思えない軽乗用車が１台置かれている。東工大は理系トップの大学でもあるから何らかのルートで発売前のクルマが展示されたのであろう。学生たちは未来の自動車に興味津々で眺めていた。

発売された三菱・ｉ－ＭｉＥＶは車体が１５０万円か２００万円の軽乗用車の転用でしかないのに価格が４６０万円もする。しかも航続距離は１６０キロメートル、７掛けだと１２０キロ程度にしかならない。いったいこんなシロモノを誰が買うというのだろうと怪しんだのはよく記憶している。結局、数百台は売れたが量産車と呼ぶのに憚りがある。三菱・ｉ－ＭｉＥＶは人びとにほとんど記憶されることなく２０２１年３月、秘かに生産中止に追い込まれている。

いずれにしろ日本がＥＶ車で先行したのは事実であった。が、それは束の間のリードにすぎなかった。その後、ニッサン・リーフは実質国産として唯一のＥＶとして売れ行きを延ばしたのは一時的でその後は低迷し、2017年にモデルチェンジして航続距離458キロ（急速充電中のニッサン・リーフのオーナーと立ち話をしたら260キロと経験値を述べた）の新型リーフを発売、年産1万台を達成する。だが2020年には下降線を辿って販売台数は半分ほどに落ち込んでしまった。

全世界がEVの時代へと向かっているときに日本でのEVの売れ行きが不振で自動車生産台数におけるEV比率は1・5パーセントぐらいだ。メーカーにも責任があるが消費者の意識と欲求もガラパゴス化していると考えるしかない。日本を代表するトヨタがEVを顧みずHVを主力として揺るがなかったことも消費者に与えた後ろ向きの影響も大きい。

図2-1をご覧いただくと一目瞭然だが、ヨーロッパやアメリカや中国が急カーブで増加しているが日本の傾きは平坦である。

しばしば日本のメディアでは、というより日本のメディアのみで水素を燃料とするトヨタの燃料電池車FCV「MIRAI」がまさに未来のクルマであると喧伝された。トヨタのやっていることだから間違いない、といまも信じられている。しかし、年産100台程度でしかないFCVにはインフラも整わず水素ステーションは全国で150基足らず（最近のニュースで1000基に増やすと報じられているが）、輸出先として期待されるはずの広大なアメリカには水素ステーション網と呼べるものは整備されておらず（2024年にカ

図2-1　2010年から2019年の地域別EV販売台数（PHEVを除く）

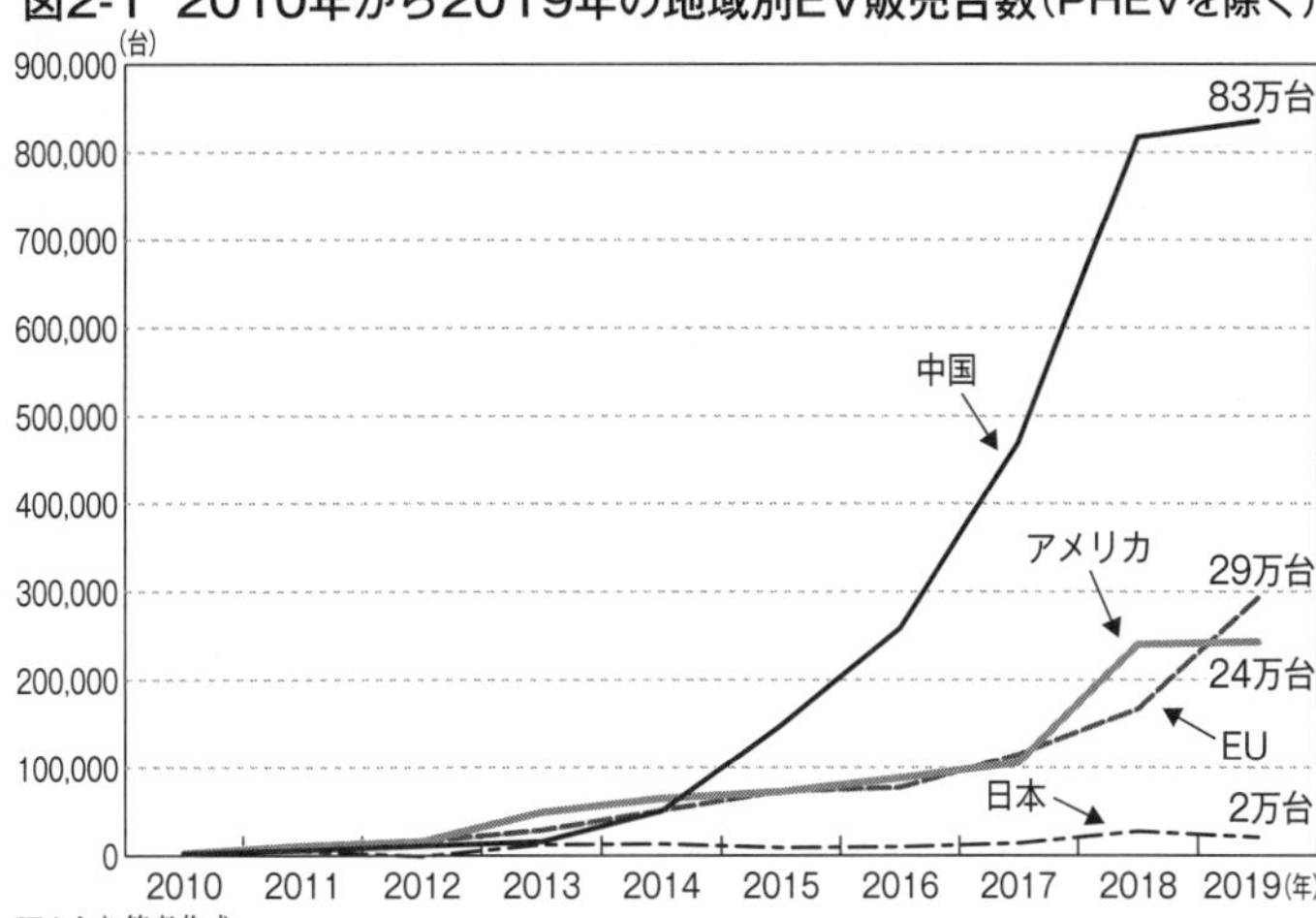

IEAより筆者作成

リフォルニア州で１００基目標）どうやってドライブせよというのか。

インフラの問題で燃料電池車はいずれ行き詰まるのではないかと予想される。というよりトヨタはようやく２０２１年になると、本格的なＥＶ車の発売を発表した。２０２１年５月にレクサスＥＶを発売したが、本格的な量産体制は２０２５年を目処としているようだから、急速なＥＶシフトへの転換体制を敷いている海外勢に市場を奪われてしまう可能性がある。日本勢の出遅れ感は半端ではない。

２０２０年のＥＶ比率はヨーロッパで６パーセント、中国では10パーセントにまで達している。中国の10パーセントは、国内販売台数が日本５００万台に対して中国３０００万台だからじつに300万台という驚異的な台数になる。

日本が2010年にニッサン・リーフを量産化したころ、アメリカのテスラが話題になりはじめた。

クルマのスタイルに未来を感じさせるテスラ

英国の有名なスポーツカー、ロータス・エリーゼのデザインをモデルにしたテスラ・ロードスターが発売されたのは2008年である。翌年、カリフォルニア州のテスラ本社のテスラショップでこのロードスターを試乗した村沢義久氏（東大特任教授を経て環境コンサル、『図解EV革命』著者）は、「評判通りのすごい加速で、しかもギアチェンジによる不連続性がない。アクセルを踏み込んだ時の『キーン』という音を聞いて「未来がやってきたと感じた」と記した。マーケティングマネジャーに、なぜ1000万円という高価格にしたのかと訊ねた。こういう返答だった。

「最初に1000万円のスーパーカーを出して注目を集め、テスラが有名になってから大衆車を出す戦略だ」

実際にその目論見は成功した。レオナルド・デカプリオ、ジョージ・クルーニー、ブラッド・ピッド、アーノルド・シュワルツェネッガーなど著名人が購入し、広告塔の役割を果した。まず頂点の意識高い系に訴求する。そうすれば自ずから拡がっていく。僕がそのスタイルを見てがっかりしたと先に記したがファミリーカー仕様のニッサン・リーフや軽乗用車からの転用の三菱・i-MiEVとはそこが大違いだった。

その後、テスラは５人乗りのセダン、モデルＳを発売して２０１３年には日本でも販売された。価格帯はＢＭＷ５シリーズやアウディＡ６などと競合する７００万円～１０００万円台が想定されていた。まだ高級車のカテゴリーである。

スポーツカー、セダンと続きさらに、３列７人乗りの大きめのＳＵＶ、モデルＸも登場した。クルマのスタイルに未来を感じさせるのはテスラの作戦ではないかと最初に気づいたのは、僕がこのモデルＸを東京・青山通りに面したテスラ唯一の東京支店で目撃してからだった。

青山通りのテスラ支店の面積は狭く、展示車は１台しか置くスペースがない。たまたまランニングで通りかかったのでガラスのドアを開けた。

近づくとサイズが大きい。全長５メートル、全幅２メートル。トヨタの大型ＳＵＶであるランドクルーザーよりも大きい。高さだけは都市型を意識して控えめの１７０センチとランドクルーザーより20センチ低い。

度肝を抜かれたのは運転席に坐ってからだ。前方を見るとフロントガラスに仕切りの枠がなく、顎を上げて見上げるとパノラマ的に天井まで続く一枚グラスには境界がなく拡がっている。暗い屋根の閉塞感がない。まるで戦闘機のコクピットのようだ。

ステアリングの横に大きなタッチパネルがあるほかは、メーター類もなく極めてシンプルだ。後部ドアはファルコンウィング式といって鳥の翼のように上に向かって開く形で、後部座席の出入りを屈まなくてスムーズにと考えられている。

しかし、この大きさでは広大なカリフォルニアの風景を眺めながら走るにはよいが、東京の狭い道には不向きだし、僕の西麻布の仕事場の駐車場で車庫入れに苦労する。それに1500万円近い価格はやはり高価である。テスラが日本で普及するまでには時間を要するに違いない、このときには思ったものだ。

テスラにとってセレブ向けは話題性が抜群だが、本来の目的はふつうのユーザーが買うことができる量産車を大量に市場へ出すことだろう。テスラCEOのイーロン・マスクは「広く注目を集めるような3万ドル以下のクルマを5年以内に実現できると確信している」と2009年のインタビューで宣言している。

2016年3月に予約注文を開始した「モデル3」がそれにあたる。生産開始は翌年7月とされ、予約注文で11万5000人が殺到した。実際に生産が軌道に乗り月産1万台になったのは2018年に入ってからだった。それでも生産より受注が先行しているのがテスラの特徴だった。

テスラが話題性と期待値よりも実際の販売実績で成果を上げ始めたのはむしろ最近になってからである。

2019年2月、モデル3の「スタンダードレンジ」は3万5000ドル（390万円）、「スタンダードレンジプラス」は3万7000ドル、として受注が開始された。航続距離はそれぞれ354キロと402キロである。サイズはメルセデスのCクラス、BMWの3シリーズと同じ、価格はむしろ低めに設定されている。この時点で全世界で50万台の予約注文が入っていた。イーロン・マスクの宣言から10年が経過していた。

テスラの新車を自分で受取りに行く

この価格や航続距離、サイズ（仕事場の駐車場に簡単に入る）などを知った際に、僕もテスラを所有してみたい、と思った。だがテスラは注文しても手に入らない、との噂が流れていてほとんど諦めていた。

実際に予約に対して生産がまったく追いついていない状態だった。カリフォルニア州フリーモント工場だけでは間に合わず、新工場の建設が完成するまでの時間が必要だった。ネバダ州で建設を始めた巨大工場ギガファクトリーは180ヘクタールもの大きさで、段階的に完成した生産ラインで2014年から順次稼働を始めた。ここにはテスラの電動モーター工場とパナソニックの電池生産工場が連携したかたちで嵌め込まれている。

ギガファクトリーは規模が巨大で、テスラHPによると、「テスラだけで現在全世界で生産されているリチウムイオン電池のすべてを必要とします。その必要性に迫られて生まれた」と説明されている。

テスラのギガファクトリーの完成によって受注に生産が追いつくのは時間の問題と思われたが、カリフォルニア州フリーモントとネバダ州のギガファクトリーだけでは間に合わず、計画的に拠点造りを進めた。ギガファクトリー2（ニューヨーク州）は建設が終わっている。ギガファクトリー3（中国・上海）も建設を終え、モデル3の出荷を2020年1月から始めた。ギガファクトリー4（ドイツ・ベルリン）は完成が間近とされている。テスラはアメリカ、中国、ヨーロッパと世界の3大市場に製造拠点の準備をほぼ整えたのである。

そして突然、テスラのモデル3の値下げが日本で報じられた。2021年2月、上海製のテスラの出荷が始まったからだ。

「米電気自動車（ＥＶ）大手のテスラは日本で小型車「モデル３」を最大で24パーセント値下げした。最も安価な「スタンダードレンジプラス」は82万円（16パーセント）下げて４２９万円（税込み）とした。日本では２０２１年から中国の上海工場で生産するモデル３が販売されており、コスト低減を販売価格に反映させる。値下げは17日に発表し、同日から適用された。中価格帯の「ロングレンジ」は１５６万２０００円（24パーセント）下げて４９９万円にした。７１７万３０００円の「パフォーマンス」は価格を据え置いた。これまで米カリフォルニア州の工場で生産したものを販売していたが、中国からの出荷に切り替えたことで、生産・物流コストの削減を価格に反映させることにした」（日経新聞2月18日付）

日経新聞の記事だけでなくネットでも値下げニュースは拡散された。

４２９万円を消費税抜きで考えると３８６万円、アメリカの販売価格３万５０００ドルと変わりない。とうとうそこまで下げたか、それにしても下げ幅が半端でなくダイナミックだった。これで日本のＥＶ市場はテスラに席巻されると僕は確信した。

このニュースの翌日、ランニングのコースをテスラ展示場のある青山通り方面にしてテスラ東京支店に早速立ち寄った。試乗を申し込むと、ネットでやってくれ、とつれない。そう感じたのは日本の販売会社のもみ手の低姿勢に慣れているからで、テスラの若い社員はそれがふつうのやり方のようだ。展示室にあるｉＰａｄで申し込むと試乗は予約で詰まっており１週間後の時間を指定された。しかも持ち時間は30分しかあてがわれない。

１週間後、南青山の支店から西麻布の僕の仕事場まで10分以内、ただちに車庫入れを試した。スムーズに入らなければ購入できないから。ニッサン・リーフは全長４・５メートルだがテスラはそれより大きく全長４・７メートル、全幅もリーフより広い。だが問題はなかった。車庫入れを試してから支店に戻るとちょうど約束の30分きっかりだった。

購入の申し込みはパソコンからＨＰを開いてやるように指示された。インターネット通販と変わりない。高額なクルマを通販のように買うのには違和感があった。素っ気なくて「買ってください」というセールストークはまったくないどころか、そもそも「在庫があるかどうかわかりませんから入手できると確約はできません」としか答えない。

ＨＰを開いてみると、はたして在庫がない。

「こちらとしては、いつ便が届くかわからないのでなんとも言えません」

「在庫がない場合はどうなるのかね？」

「そうですね。３月に入手できなければつぎは６月の船便まで待たなければなりません。昨年９月に申し込んだ方もこの３月にようやく納車になりましたから。ただしその方も今回の値下げは適用されます」

数日後、突然、６台の在庫が表示されていた。その６台から選ぶしかない。せっかくだから１５６万円も値下げして、４９９万円で航続距離５５０キロの「ロングレンジ」を探したが売り切れで、航続距離４４８キロで４２９万円の「スタンダードレンジプラス」のみしか残っていない。

在庫のなかに標準装備の18インチホイールでなく19インチ（18万８０００円）、シートにインテリアホワイト（12万６０００円）、カラーはレッドマルチコート（25万１０００円）のオプションが付いたクルマがあったので、４２９万円に56万５０００円の上乗せで購入を決めた。それでも82万円の値下げだからお釣りがくる勘定である。

その後、テスラ支店から連絡があり、２週間後の納車日を指定された。ふつうならセールスマンがクルマを運転して納車してくれる。ところがこれも素っ気なくＪＲ川崎駅近くのショッピングモール「ラゾーナ川崎」のなかにあるテスラ納車受付で登録手続きをして、新車は専用駐車場に停めてあるので自分で取りにいけ、と言う。

そんな次第ですべてがクール過ぎるほどクールだった点に不満も感じたがあえて記したのには、理由がある。

日本のトヨタにしろニッサンにしろホンダにしろマツダにしろスバルにしろ、全国各地に販売店網を張り巡らせている。いやそれはメルセデスにしろＢＭＷにしろアウディなど外国車にしろ、旧来型の自動車メーカーはいずれも同じで、日本車とは限らない。広い敷地にモデルカーが幾台も明るいライトに照らされ展示されていて、セールスの人員が親切に近づいて来て説明をしてくれるし、ソファに坐ると若い女性の店員が笑顔でコーヒーを注いでくれる。

日本車の一般的な販売経費は15パーセントと見積もられている。展示用のモデルカーはいわば死蔵在庫であり、セールスはそれほど説明してくれなくても性能はパンフレットを見ればわかるし、コーヒーはありがたいがその人たちの人件費を含めて結局は販売経費として価格に上乗せされているわけだ。

販売経費が価格の15パーセントならば500万円のクルマは、本来なら425万円で販売できる。逆に言い換えると425万円のクルマを500万円で買わされていることになるのだ。素っ気なくてもそのぶんの価格が下げられていればよいのではないか。工場ではカイゼンで必死で贅肉を落としてコストを下げているが、いっぽうで販売に余計なコストが費消されていれば意味がない。

少し脇道にそれたかもしれない。EVとは何か、である。ガソリンエンジンを電気モーターに変えることだけがEVなのではない。これまでの自動車会社とはすべてやり方が違うのは、これまでの自動車とは別の商品だからだ。テスラはいわゆるテレビCMなどコマーシャルはいっさい流していない。クルマに対する思想が根本から異なっているのだ。「燃料代がゼロ、それがＥＶだ」とイーロン・マスクは主張していた。「恐竜時代の化石を燃料にする考えは棄てなければいけない」とも言った。電力は再生エネルギーにより調達され、それをリチウムイオン電池に貯めて走る。そしてテスラのＥＶは自動運転ともセットになっている。

スマートフォンとガラケーの違い

テスラ側から、納車にあたり先んじて用意しておいたほうがよいと提案されたのが「ウォールコネクター」という充電装置である。テスラには専用の充電ステーションが１００カ所ある。電圧が高く30分で急速充電ができるスーパーチャージャーとホテルやモールに置かれたデスティネーションチャージャーである。自宅で充電する場合は、６時間ぐらいで満タンできるウォールコネクターを駐車場に設置する。

ウォールコネクターは、テスラの指定電気工事業者が配電盤から黒く太いパイプを壁伝いに駐車場の位置まで敷設し、設置する。充電はガソリン車と同じで車体後方の蓋を開けると小さな差込み口があり、ガソリンスタンドでガソリンを入れるように、そこにガチッ支払った。

と嵌めればよく、きわめて簡単である。この機械の購入と工事で業者に20万円近い費用を支払った。

ニッサン・リーフの欠点ばかり強調するつもりではないが、充電口が車体の前方にあるのは設計思想としては間違いだと思う。一般的に自宅の車庫にはバック駐車で入れ、アタマからは入れない。リーフのように充電口がボンネットの前方に置かれていれば、通行人の目前で充電していることになりセキュリティ面で問題ありではないか。

街中での充電はテスラ専用のスーパーチャージャーよりもニッサンの販売店には専用の急速充電器があるので数ではそちらが優位だ。高速道路のサービスエリアには充電器ネットワーク運営会社のスタンドがあり、日産リーフなどとの互換性のための「チャデモ（CHAdeMO）」と呼ばれるアダプター付きのコネクターは5万円ほどで別売りされている。急速充電に30分かかるから、お茶でも飲んで、とダブルミーニングになっているそうで名前は覚えやすい。

テスラと日本車のいちばんの相違は、携帯のスマートフォンとガラケーの違いに喩えるとわかりやすいかもしれない。いっけんに似ているように見えて、まったく別物なのである。

ＪＲ川崎駅近くのショッピングモールにあるテスラ納車受付でまず渡されたのはホテル

のようなカードキイであった。これまでのクルマのキイは鍵束といっしょになってジャラジャラと金属音をさせていたが、カードキイはスマホケースにしまえばよい（実際にはスマホで用が足りるのでほとんど使うことはなかった、後述）。駐車場でカードキイをクルマに当てるとドアが開いた。渡されたカードキイにスマホを同期させるよう指示され、これで納車儀式は終わりである。あっさりしている。少しぐらい説明してくれ、とお願いしたら、少しぐらい説明してくれた。

スマホにテスラのアプリがあり、アプリにドアの開閉や充電口の開閉の表示があるのでカードキイはふだん使わないマスターキイのようなものとわかった。

駐車場に納車待ちのテスラ車が10台ほど並んでいた。北海道からフェリーで取りに来る人もいるらしい。テスラの納車場は川崎と名古屋と大阪の３カ所しかない。

運転席に坐ると速度メーターと燃料メーターはなく、代わりにカーナビの位置に15インチのかなり大きいタッチパネルがある。たとえばエアコンは指でなぞると吹く方向が上下・左右と画像でイメージされる。サイドミラーとバックミラーもこのパネルで見ることができる。

後日、テスラ側から連絡があり、プレミアムコネクティビティに登録するよう指示があった。サブスクリプションで１カ月９９０円の契約をした（有料になったのは最近である）。

スマホを家やオフィスで使っているときにはＷｉ－Ｆｉだが外を歩いているときに４Ｇで通信しているように、インターネットを通じてテスラ車両のソフトウエアがいつでもどこにいてもアップデートできるＯＴＡ（オーバー・ジ・エア）機能である。

ふつうのクルマではカーナビは新しく完成した道路を認識できないが、ＯＴＡによりすでに事前に実装されているハード部分に順次進化を与えていくことができる。

ＯＴＡが最も威力を発揮するのが自動運転機能においてである。テスラの「オートパイロット」はハンドル横のレバーを軽くポンポンと2回押すと、標準装備のオートパイロット機能がはたらく。高速道路では同一車線で先行するクルマと道路上の白線を認識し、ハンドル操作と加減速操作を自動的に行う。ドライバーはハンドルに軽く触れているだけでよい。

モデル３には8個のカメラ（フロントグラスの上方に3個、前部ドアの前と後ろに各2個で4個、リアに1個）、他に1個のミリ波レーダー、12個の超音波センサーが実装されている。一般的なクルマにも衝突回避のレーダーはついているが、これほどカメラによる画像認識は重視されていない。

すでにテスラ車は累積１００万台走っている。その画像情報がサーバーに蓄積され人工知能のディープラーニング（深層学習）により進化し、それが各個別車にフィードバックされ、オートパイロットに生かされる。例を挙げると工事中に臨時に置かれた三角コーン、いつ置かれてもいつ撤去されてもよい代物だが、つねに認識できるのである。街の風景は変化しつづけている。新しいビルが立ち、旧い屋敷が消えていく。目印やランドマークは有為転変である。

テスラの累積台数１００万台は、年間１０００万台を売るトヨタ車に較べれば微々たる台数のように思われるが、それでも数百億キロの経験値がビッグデータとしてサーバーに集積されていくテスラに、従来型の自動車メーカーは自動運転の分野では明らかに先手を打たれたことになる。テスラにとって顧客は単なる顧客でなく走行情報を送信する自動運転のデータ提供者なのである。

日本産のＥＶはあくまでもアローン、１台ずつの経験値しかなく、機能追加や性能改善にはモデルチェンジでしか商品力を高める方法はない。今後、進化しつづけるテスラは自動運転でも独走するだろう。

標準装備のオートパイロット（運転支援機能に相当するレベル２）に加え、さらに高度な自動運転をオプションで取得すると、ホテルの玄関で待っていればスマホの指示で勝手に駐車場から出てきて横付けにできるところまで、すでにサービスを達成できている。

モデルチェンジを必要としない、そういう思想をテスラがつくった。スマートフォンに表示されるアプリはつぎつぎと新しい機能をもたらす。無料のアプリもあれば課金のアプリもある。スマートフォンというハードの機械を改良する必要がなくアプリがさまざまな機能を加え、アップデートしていく。同様にテスラという車体に据え付けられたハードにあらかじめ基本的な要素は埋め込まれている。自動運転など必要なソフトは購入後にアップグレードできるのである。

日本のEVは販売台数で欧州、中国勢にも抜かれている

本章の冒頭で記したように、トヨタがEVでなく電動車という概念にこだわっていつまでもハイブリッド車ばかりを売るつもりでいたツケがいま回ってきた。

1位はテスラで年産50万台である。それは何となく知られていた。問題はベスト10に、2010年に世界初のEV量産車ニッサン・リーフを販売したあのニッサンが入っていないばかりか、世界一の自動車メーカーのトヨタも入っていないことなのだ。

不思議に感じるのは、こうした実態についてほとんどの日本人は無知・無関心でいる。しばしばバブル時代に日本企業が世界の企業ランキングの上位を占めていた、残念だがいまランキング上位に残っているのはトヨタ1社である、などと書かれていたりする。だが

図2-2 世界のEV(PEV)含む車販売トップ20社

順位	メーカー名	拠点国	2020年生産台数
1	テスラ	米国	499,535
2	フォルクスワーゲン	ドイツ	220,220
3	比亜迪(BYD)	中国	179,211
4	上汽通用五菱汽車(SGMW)	中国	170,825
5	BMW	ドイツ	163,521
6	メルセデス・ベンツ	ドイツ	145,865
7	ルノー	フランス	124,451
8	ボルボ	スウェーデン	112,993
9	アウディ	ドイツ	108,367
10	上海汽車集団(SAIC)	中国	101,385
11	現代自動車	韓国	96,456
12	起亜自動車	韓国	88,325
13	プジョー	フランス	67,705
14	日産自動車	日本	62,029
15	広州汽車集団（GAC）	中国	61,830
16	長城汽車（GW）	中国	57,452
17	トヨタ自動車	日本	55,624
18	奇瑞汽車（Chery）	中国	45,599
19	ポルシェ	ドイツ	44,313
20	上海蔚来汽車（NIO）	中国	43,728

EV Sales「Global Top 20 December 2020」より筆者作成

このまま世界のＥＶ化が進行すれば、我が国が誇る最後の砦であるトヨタも残念ながらランキング外になってしまう可能性が高い。

図２−２で、上位で目立つのはドイツ車と中国車である。

ガソリン車にあってもドイツ車の性能の高さはつとに知られていて日本でもメルセデスやＢＭＷやアウディのファンが多い。フォルクスワーゲンの大衆車と高級車のポルシェの両方とも日本でもよく売れている。

日本車メーカーはこうしたドイツ車の品質に追いつけ追い越せと頑張ってきたはずである。だから日本車の性能について、日本人は鼻が高いつもりでいる。

ところがこれから先の市場で主流となるEVにおいては後塵を拝している状態は知っておいてほしい。奮起してほしいからだ。

ドイツ車のEV車の台数が増えているのは、CO_2削減へのドイツ政府の取組みの本気度が反映したものといえる。それに加え、同時にフォルクスワーゲンのディーゼル車規制のデータ偽造事件も大きなきっかけになっている。

ガソリンでなく軽油を燃料とするディーゼル車といえば日本では大型トラックやバスなどをイメージするが、ヨーロッパでは場所によっては乗用車のディーゼル車が主流であった。ヨーロッパでディーゼルの乗用車は燃費がよく力強い走りで人気があった。乗用車なので排気ガスもトラックほどには排出されない。改良も積み重ねてきていた。

ところがいくら改良されてきたとしても限界がある。アメリカではディーゼル車への排出ガス基準を厳しく規制し始めた。そのアメリカの規制をクリアするためにフォルクスワーゲンは排ガス試験で不正ソフトを使った。排ガス試験では単純に機械の上で車輪が回っている状態でハンドルは切らない。不正ソフトはハンドルを切らない試験中のみ浄化装置がよくはたらき排ガスの数値を下げ、実際に走る道路でハンドルを切る場合には浄化装置を弱めパワーをアップする。

２０１５年にそれが発覚した。アメリカ環境保護局が調査に入り不正を確認すると、司法省が刑事捜査に入って大騒ぎになった。２００９年から２０１５年までに発売された５車種（傘下のアウディ含む）48万台のリコール、1台当たり3万７５００ドルの制裁金が課せられた。じつに2兆円である。

リコールはアメリカだけにとどまらず、本国のドイツ、さらにブラジル、インド、オーストラリア、イタリアにまで拡がった。

トヨタとつねに世界1位と2位の座を争い、勝ったり負けたりしているフォルクスワーゲン社はついにトップが辞任を表明、80年もの歴史で築いてきたを信用も失墜、会社の存続が危ぶまれる事態に陥った。

この事件をきっかけにフォルクスワーゲンは、これまでの経営者が世代交代で退場し、次代のトップマネジャーが集まり危機対策会議を開くことになる。そこで失墜したブランドの再構築についての徹底的な討議が開始された。

大気汚染防止の規制をクリアできるクルマとは何か、真剣に話し合われた。ＥＶは価格が高く充電がめんどうで航続距離が短い、その欠点を克服して収益性の高いクルマをつくろうではないか、と結論に達するまで時間はかからなかった。

そこからフォルクスワーゲンのＥＶへの大転換がスタートする。偽造データ事件で世間や政界の怒りの標的となった社内の守旧派が一掃されたこともまた改革を促せた要因である。

ＥＶ化へのシフトは当初苦難の道であったが、ようやく２０２０年の販売台数は2位で22万台、グループ傘下のアウディが9位で11万台、同じくグループの高級車メーカーであるポルシェ19位で約4万５０００台、合計すると37万５０００台、テスラの背中が少し見えてきた。まだフォルクスワーゲン全体の販売台数から見れば少ないが、２０３０年以降にガソリン車の新車販売の禁止を宣言する国家が増えていく見通しなので先手は打ったことになる。

フォルクスワーゲンのディーゼル車排ガス偽装事件は、他のドイツの自動車メーカーにもショックを与えた。事実上、ディーゼル乗用車の時代の終わりが宣告されたも同然だったからだ。

図2-2をもう一度参照していただきたい。

1位テスラ、2位フォルクスワーゲン、5位にＢＭＷ、6位にメルセデス・ベンツもランクインしている。ＢＭＷとメルセデスを合わせると30万台である。フォルクスワーゲングループ37万５０００台を加えると、ドイツは67万５０００台で国別ランキングでＥＶで世界一になる。

トップ20位に中国メーカーが7社、ランクインしている。ランキング3位に中国の比亜迪（ＢＹＤ）が18万台、4位が上汽通用五菱汽車（ＳＧＭＷ）17万台、10位に上海汽車集団（ＳＡＩＣ）10万台、15位に広州汽車集団（ＧＡＣ）6万1000台、16位に長城汽車（グレートウォール）5万7000台、18位に奇端汽車（チェリー）4万6000台、20位に上海蔚来汽車（ＮＩＯ）4万4000台。

中国のＥＶ車の合計は66万台に達してドイツと肩を並べるほどで、さらに無名のランキング外の地場メーカーも林立している。それらを含めると2020年の中国のＥＶ車は130万台である。実際の台数では中国が世界一のＥＶ大国と認めることができるだろう。

それでも2500万台市場の中国ではこの数字はわずか5パーセントにすぎない。2021年にはＥＶ車は180万台の生産が見込まれている。2025年には新車販売に占める比率20パーセントを目標としているので、じつに500万台のＥＶが中国で生産されることになる。

最近、中国で一台47万円（エアコン付きでも60万円）のＥＶ車が売れているというニュースが日本の新聞やテレビでも報じられ話題になった。

先ほどのランキングに登場した上汽通用五菱汽車が販売したミニＥＶ「宏光」である。ものすごい勢いで売れている。航続距離が100キロ未満でも街中を行き来するだけの用途ならたいした問題は生じない。同じくランキング入りの長城汽車は110万円のEVを発売した。こうした低価格帯にもバリエーションがあるばかりでなく、高級EV市場も拡がりを見せている。

すでに体験的に記したが僕の購入したテスラは、米国製でなく中国製（テスラ上海ギガファクトリー）である。この上海製テスラは生産が始まったばかりだが、すでに中国の国内での売れ行きはきわめて好調である。

東京都から北京市へのノウハウ提供

どうして中国はこれほどEV車が普及したのだろうか。

ディーゼルエンジンの乗用車が多かったドイツ車は、フォルクスワーゲン社のディーゼル車排ガス検査偽装事件をきっかけにEV転換へ舵を切ったが、中国でもEV転換を決意させる危機感が醸成されていたのである。

北京の街が濃い霧に覆われ昼間でもクルマがライトを煌々と照らし、人びとはガスマスクのような分厚いマスクをしていた光景を憶えているだろうか。2012年から2013年にかけて日本のテレビでその惨状を繰り返し報じていて、日本人の駐在員の家族が子ども連れで帰国したというニュースまであった。

解決する方法はないか、と考えた。かつて大気汚染に苦慮した経験がある東京都に技術ノウハウがある。僕が東京都知事に就任して間もなく、北京の大気汚染の解決のための東京のもつ技術ノウハウを提供すると北京市へ申し出た。

当時の日経新聞は「中国の大気汚染、都が北京市に技術協力を提案」との見出しでこう報じている。

「東京都の猪瀬直樹知事は8日の定例記者会見で、中国の大気汚染問題について『東京には大気汚染に関する技術ノウハウがある』と述べ、北京市に技術協力を提案したことを明らかにした。都は２００９年、北京市と水・環境分野の技術交流に関する合意書を交わしている。猪瀬知事は石原慎太郎前知事によるディーゼル車の排ガス規制など環境対策の実績を強調。その上で、『北京市の大気汚染はかなり深刻との認識があり、積極的にノウハウを提供したい』と述べた。都環境局によると、自動車の排ガス対策や工場などから出るばい煙対策に関する技術支援が可能としている」（２０１3年2月9日付）

東京都環境局に北京市に出張して実務者レベルの協議を進めるよう指示した。東京都の研究機関はデータ収集と解析を行ってきた。化学物質の排出量調査、発生源の特定、自動車排ガスの計測、データ解析などを行い、この解析結果を根拠にして、事業者の規制を実施してきた。こうしたノウハウを提供するための意見交換を行い、担当者レベルでの東京・北京往復が続いた。

来日した北京市環境保護局研究室の宋強主任は、「北京市が取り組んでいる大気汚染防止のための第12次5カ年計画のハードルは高い。東京都に視察に来て、すぐにでも取り入れたいと思ったポイントが2つあった。ひとつは、ディーゼルカーによる大気汚染の削減手法。それと、工場でのPM2・5など大気汚染物質の削減手法です。工場のほうは、技術というよりも、全体の管理体制に学ぶところが多かった。これを環境保護局に持ち帰って、具体的にどう対応していくか検討する」と語っている。

東京都がこうしたノウハウを積み重ねてきたのは1970年代の公害とそれによるスモッグの発生という高度経済成長の負の成果の歴史を持つからである。こうした旧来型の公害は解決してきたが、依然として大気汚染の主要な発生源が残されていたのである。

それがディーゼルエンジンにより放出されたPM2・5など汚染物質だった。

これは石原慎太郎都知事（当時）により実施されたディーゼル車規制という英断が大きい。

北京市へのノウハウ提供を表明した僕は記者会見でこう述べている。

「石原知事のときに、ディーゼル車の排ガス規制を改めてやらなければということは、ディーゼル車がどんどん大きなトラックが増えていくに従って問題になってきました。そこで、従来のディーゼル車よりも大幅にＰＭ排出量の少ないディーゼル車を普及するという意味で規制をやりました。これでだいたい自動車から排出されるＰＭですね、石原前知事が黒いペットボトルを振ってましたけれども、規制開始の前の20分の1に減っています。どういう規制が必要かということはきちんと北京市にもお伝えしてですね、やっぱりそれなりに成果が出てるんですよと。

自動車業界がディーゼル車排出規制に基づいた技術開発、これをきちっとやって成果が上がってきた。まずは規制があって技術開発があると。やはり行政がきちんとできることはやらなければいけません。かつてアメリカのカリフォルニア州で70年代、ものすごい排ガス規制が強く打ち出されました、そこで日本は、ホンダがＣＶＣＣエンジンという有害物質の排出が少ないエンジンを開発して、アメリカ市場を席巻した。

そういう時代が1回終わって、そして、さらにディーゼル車規制というものを今度は東京が徹底的にやった。最終的にはディーゼル車の技術改良が行われ、全国的にもＰＭの排出が減った。もともと２００９年に、東京都は北京市と技術交流・技術協力に関わる合意をしているんです。その後の申し出がないのでそのままになっていたが、今回改めてアクションを起こして、積極的に持っているもの、ノウハウを提供しようということであります」

ヨーロッパではディーゼルエンジンは乗用車に使われていたが、日本では大型トラックやバス、船舶、ブルドーザー・トラクターなどが中心だ。ＮＯｘ（窒素酸化物）やＰＭ（粒子状物質）を多く排出する。自動車から出るＮＯｘの８割以上はディーゼル車による。ＮＯｘは呼吸器障害の原因になる。ＰＭのうち10ミクロン以下の細かいものはＳＰＭ（浮遊粒子状物質）として呼吸器に沈着し慢性呼吸器疾患や肺ガンの原因になる。

石原慎太郎都知事が黒い粉入りのペットボトル振っていたのをテレビで見た人も多いが、東京都内では毎日５００ミリリットル入りのペットボトルを一杯にする真っ黒な粒子物質がじつに12万本分（約12トン）も大気中に排出されていたのである。

フォルクスワーゲンは躓きから再生してＥＶへと舵を切りドイツ車メーカーが続いた。中国では最悪の大気汚染から脱出するためＥＶメーカーが簇生していまやＥＶ生産台数が世界一へと変貌した。日本もまた試行錯誤はしたのだけれど、なぜか前に進まない。どうしてなのか、振り返りながら考えよう。

第3章

「失われた2010年代」を打ち破る挑戦

環境先進都市のモデルになりつつあった東京

現在の気候変動問題の取組みで、日本は石炭火力にしろＥＶの開発と普及にしろ、間違いなく出遅れてしまった。だがスタート時点では必ずしも遅れていたわけではなかった。日本が世界から取り残された感が強いのは、民主党政権による「原子力一本足打法」とその後の安倍長期政権の無策による。気候変動下におけるエネルギー政策にとって２０１０年代こそが「失われた10年」だった。

北京をはじめとする中国の大都市の大気汚染が世界に知られ始めたのは北京オリンピックまで遡る。

２００８年の北京オリンピックのマラソン競技に、当時の世界記録保持者であったエチオピアのハイレ・ゲブレシェラシェ選手が出場辞退したので北京の大気汚染の深刻さが大きな話題となった。

ゲブレシェラシェ選手はアトランタ、シドニーの五輪２大会の１万メートルで２連覇の実績があり、その後マラソンに転向、北京大会前年の２００７年のベルリンマラソンで当時の世界新記録をマークし、北京五輪の金メダル候補と期待されていた。しかし、本人は北京の大気汚染が持病の喘息に悪影響を及ぼす恐れがあるとして1万メートルの参加へ切り替えた（1万メートルは6位に終わったが、北京オリンピック翌月のベルリンマラソンで再び自己のもつマラソン世界記録を塗り替えている）。

２００8年夏の大気汚染の最中に開かれた北京五輪を間に挟んで、冬と初秋と2つのダボス会議があった。ダボス会議とは、トーマス・マンの代表作『魔の山』の舞台で知られるスイスの保養地ダボスで毎年開催される世界経済フォーラムである。東京都副知事になったばかりの僕は、石原知事の代理として出席した。そこであらためて地球温暖化に対する認識を深めることになるのだが、同時に環境がビジネスとして新しい成長分野なんだなとひしひしと感じた。

世界の企業のトップ、政治家、学者、ジャーナリストなどの招待客２５００人とその随行者が参加する会議では、アメリカのライス国務長官や映画『不都合な真実』のアル・ゴア元副大統領、アフガニスタンのカルザイ大統領、Ｕ２のボノやビル・ゲイツなどの姿がみられた。

ホテルで東京都知事主催の「東京ナイト」が開かれ５００人近い列席者で盛況、寿司の人気は高くたちまち品切れになった。それよりここが重要なところだが、ホスト役として「東京は２０２０年までにCO_2の排出量を25パーセント以上削減する」と、ダボス会議に集まった影響力が高い人たちに宣言することだった。

ダボス会議では合計235ものセッションが行われたが、僕が参加したセッションのうちのひとつは「スリムシティー　都市における資源の効率性」というテーマで、ロンドン市長やサンフランシスコ市長やテヘラン市長などのほかエネルギー企業のCEOなど50人が参加するものだった。

6つあるテーブルのグループの好きなところに自分の意思で坐り、テーブルのグループごとに初対面の人たちと課題を整理する。テーブルごとの討議のあと、各テーブルでまとめられたソリューションを、今度は全体の討議で黒板に意見を書き出したり紙を貼ったりしながら、さらに深めていく。「朝まで生テレビ」ではないが参加者は上手に割り込む。意見を主張し合いながら調和する。

「東京は原油換算で年1500キロリットル以上のエネルギーを消費する1300の事業所のエネルギー使用状況をデータで把握しているので、2009年4月から大規模事業所のCO_2排出削減の義務化に踏み切ることができる」という発言が討議にインパクトを与えた。ロンドン市長は、都心部に入るクルマには混雑賦課金という独自の制度を設けたことを話した。

全体討議の司会をつとめたエネルギー企業のCEOは、結論をこうまとめた。

「途上国で新しい都市をつくるときには、ロンドンや東京の経験を盛り込んだビジョンをもって都市づくりをしていくべきである」

ロンドンは中国の北京五輪のつぎの２０１２年五輪開催地に決定していた。東京はそのつぎ２０１６年開催をねらっていた。発展途上国のオリンピックか、そうでなければ環境先進都市としての世界のモデルとなるような理念を掲げたオリンピックか、日本が目指す方向は後者しかない。実際にロンドンはそのモデルになろうとしていた。

１９６４年の東京オリンピック、１９８８年のソウルオリンピック、そして２００８年の北京オリンピックは、「発展途上国のオリンピック」である。高度経済成長に夢中で環境はほとんど問題にされなかった。

東京、ソウル、北京とアジアで開かれた「途上国のオリンピック」ではなく、ロンドン、東京とつづく「成熟した先進国のオリンピック」の流れをつくっていくことが、地球温暖化や気候変動に対するイニシアティブの発揮といえる。東京から世界に向かって、未来のビジョンを指し示す舞台となり、同時に日本国民に対する重要なメッセージにもなる。

ダボス会議でも紹介した、東京湾のごみ埋め立て地に皇居ぐらいの大きさの場所に木を植えてつくる「海の森」。海からの風がこの森を突き抜けて、東京のオフィス街にそそぎなう。

込む。ヒートアイランド現象もいくらかは緩和される。東京都に50万本ある並木を、100万本まで増やす。アスファルトの校庭を芝生にする。選手村の電力は太陽光発電でまかなう。

そのうえで2008年6月の東京都議会で「環境確保条例改正案」が通過しており、都内にある大規模事業所を対象に、二酸化炭素排出量の削減を義務付け罰則や排出量取引制度も盛り込まれた。二酸化炭素の削減義務化は日本で初めて実現した。これが他の自治体ひいては国を動かせば、日本が環境ビジネスで飛躍するチャンスにもなる。もし東京でオリンピックが開催できなかったとしても。だからオリンピック開催レースにチャレンジする価値はあったのだ。

すでに中国には3300基の風力発電機があったけれども、その40パーセントがヨーロッパ製で、さらにそのほとんどがドイツのシーメンス社製だ。日本人はアタマが環境問題に切り替わっていないから、得意なはずの環境ビジネスの分野で後れをとっていたのだ。2016年東京五輪で日本人の意識を切り替えることができれば、環境ビジネスで日本が躍進するチャンスにもなるだろうと考えていた。

2008年の北京五輪が終えた翌9月、中国が「夏ダボス」と称して、ダボス会議そのものを招致して天津での臨時開催を実現させた。

夏ダボス会議での温家宝首相の基調講演は「成長は維持されなければならない」と、高度経済成長の進軍ラッパを吹き鳴らす響きが強かった。「環境保護とのバランスを取りながら」と補足するぐらいの感じで、この当時の中国はまだ環境よりも成長一辺倒だった。

したがって僕の参加したセッションのテーマは「中国・発展中のグリーンチャンピオン?」であり、「?」が付いているあたりに、中国はまだ途上国であり環境問題よりも成長重視の空気感が顕れている。

パネリストは、僕の他にデンマークの環境大臣と中国の大手鉄鋼メーカー会長、進行役はアメリカ・アジア協会米中関係センター長である。

進行役がこちらを向き、こう語りかけた。

「70年代、東京を訪れたことがあるが、大気汚染はひどかった。だがスモッグの問題を東京は克服してきた。そしていま東京は環境問題でさまざまな先進的な取組みをしてきている。東京の経験を中国の環境問題に活かしていくべきではないだろうか」

そこで僕は東京都として、大規模事業所にCO_2歳出削減義務を課したほか、家庭でのCO_2削減対策では太陽エネルギーの利用拡大のため、2年間で4万世帯に対して30万円の助成の実施について述べた。

1日当たり60世帯に相当し、補助金額は90億円に上る。こうした政策により、企業はイノベーションによってパネル生産のコスト削減も可能になるはずだ。ディーゼル車規制についても付け加えた。

セッションの最後に進行役から「中国はグリーンチャンピオンになり得るか?」と問われた。この時点での中国にはそのような意思は感じられなかった。大気汚染はいっそう深刻になり、すでに記した2013年のマスクだらけの光景へと展開するからだ。

「この会議場に入る際に小鳥のさえずりがたくさん聞こえた。しかし、周りには広場はあるが木々は遠くにしか見えない。小鳥のさえずりが(スピーカーによる)演出だったのかそれともホンモノの小鳥がいたのか、僕にはわからない。もしホンモノだったら中国はグリーンチャンピオンになれるだろう」

あの当時の中国に対しては、皮肉を込めるしかなかった。

国家戦略としての環境政策がなかった日本

この翌年、2009年9月、自民党の麻生政権から民主党の鳩山政権へと政権交代が起きる。

その直後の10月2日、2016年五輪の開催地を決める最後のプレゼンテーションがコペンハーゲンで行われた。12月にコペンハーゲンでCOP15が開かれる予定になっており、環境五輪を打ち出している東京の戦略は時宜を得たものだったはずだ。だが２０１６年五輪はリオデジャネイロに決定し、東京は敗れた。石原知事の打ち出した環境五輪に対して、IOCは冷ややかで「環境問題は国連でやってくれ、うちはスポーツの団体だからね」という感じだった。

麻生政権はリーマンショックで支持率が下がり、五輪招致どころではなかった。オリンピック招致は国家の総力戦だった。東京都がいくら巨大都市であっても、環境政策が進んでいようが、国ぐるみで招致しないかぎり無理だった。国家として外交戦略をもたないかぎり実現しない。招致の裏側の詳細はここでは述べない（リベンジを賭けた２０２０年招致は成功する。だが僕が都知事を辞任し、森喜朗が組織委員会の会長に就任したことで理念は喪失し、以後コストも増大して散々な結末へ向かった）。

日本には、国家戦略としての環境政策がない。２００９年に鳩山政権がスタートすると「温室効果ガスの25パーセント削減」を打ち出したが具体策はなかった。日本には、環境政策による安全保障の考え方は育っていない。

１９４１年（昭和16年）に日米戦争が始まったのも、きっかけはアメリカによる石油の対日輸出停止だった。日本も戦前には、石炭の液化技術を開発してエネルギーを自給しようとしたができなかった。結果的に、石油を求めてインドネシアの油田地帯を急襲する作戦の展開を意図してアメリカとの開戦に至る。戦争とは、資源をめぐる争いである。

石油資源をめぐる争奪戦とそれによる相場の高騰から経済と軍事への影響を抑えるために、アメリカではブッシュ政権からバイオ燃料などの代替エネルギー開発に力を入れはじめた。オバマ政権では、送電ロスをなくすためのスマートグリッド化や、電気自動車への転換を進めていた。EVメーカーのテスラが試作車をつくりはじめたのはこのころで、これらの環境政策によって大規模な環境産業が生み出される気運が高まっていた。

「戦略的に動いている欧米企業とちがって、日本企業は優れた環境技術をもっているのに国家戦略がなく活かせていない。このままでは、欧米企業の下請けとして、部品を提供する存在で終わってしまう」と当時、僕は書き残している。

政権交代によって誕生した鳩山政権が打ち出した削減目標はないよりあったほうがよいのだが、環境政策は単なる道徳論ではなく、ビジネスにして国益につなげていく戦略が見えなかった。

日本は得意技を生かすやり方が過去にあったではないか。１９７３年のオイルショックを受け、日本は石油エネルギーの依存度を下げるために一丸となって省エネ技術を磨いて乗り切ろうとした。１９７８年に第２次オイルショックが見舞ったときにも、さらに省エネ化を徹底させた。

そのころ資源エネルギー庁を訪ねた僕は、壁に「10パーセントの省エネルギーを実現せよ」と書いた大きなポスターが貼ってあるので眼を見張った。エネ庁はオイルショックによって誕生した通産省の1部門が昇格して誕生した役所である。僕の視線を意識してか若い課長補佐が、「こんなもの、精神論ですよね」と冷笑的に指さした。そのとき僕も同調してうなずいたのだが、実際に、あれよあれよ、と「10パーセントの省エネ」を達成したのである。

1970年代にカリフォルニア州では厳しい排出ガス規制がつくられ話題となった。だがホンダが開発したCVCCエンジンがいとも簡単にそれをクリアすることでアメリカ市場に迎え入れられた。ホンダのシビックやアコードがアメリカで売れた。そのころサンフランシスコやロサンジェルスを走るクルマの4台に1台が日本車であるのを実見した僕は誇らしげに感じた。日本人は自らの技術の質とその方向性に自信と誇りを持っていた。

その後も1997年にトヨタが開発したプリウスに代表されるハイブリッドカーは日本の独壇場だったし、ほとんど電力を消費しないLED（青色発光ダイオード）も日本人が発明したものであり、太陽光パネルではシャープ、京セラ、サンヨーが技術力でも生産量でも世界のトップを競っていた。

だがすでに2008年の時点で、太陽光パネルだけは、過去形で記さざるを得ないところまで落ち込んだ。ドイツのメーカーに抜かれ、さらにアメリカのメーカーにも抜かれた。日本の太陽光発電に対する政策は、世界の趨勢に逆行していたのだ。

省エネ先進国のはずの日本がなぜ2000年代に入ると海外の後塵を拝することになっていったのか。日本人は忘れ上手である。同じことを繰り返さないために記しておく。

動き始めた太陽光発電を冷え込ませた愚策

それまで日本は太陽光発電では世界一の生産量と市場を有していたが2005年をもって補助金が打ち切られて国内市場は縮小してしまったのだ。住宅用の太陽光発電に対する国の補助金（経済産業省）は1994年にスタートし、当初の予算は微々たるものだったが、2000年度には2万戸、2001年度には2万5000戸、02年度には3万8000戸と上昇カーブを描いて増えはじめた。

ちなみに02年度の補助金は1キロワットにつき10万円である。ふつうの屋根は3キロワットが一般的なので、太陽光パネルを取り付けると30万円がもらえた。もっともそのころパネルの設置費用（システム価格）は3キロワットで300万円近かった。量産効果が出始めて価格が下がるのは設置戸数がさらに拡大して以降である。

１キロワット当たりの補助金は、03年度に９万円、04年度に４・５万円、05年度に２万円と毎年減らされ、06年に廃止された。05年度に７万３０００戸も導入されたのに、その年がピークで補助金が廃止された06年度には６万３０００戸、07年度には４万９０００戸と需要が減退していくのである。

日本は２０００年代はせっかく動き始めた太陽光発電に対する補助政策を打ち切って原子力発電に重点をシフトさせてしまったからである。

これがわが日本国の情けない現状で、シャープも京セラもサンヨーも輸出は好調だったが内需が減り、ドイツの中小メーカーだったＱセルズに出荷数で抜かれてしまう。

ドイツは太陽光など再生可能エネルギーを電力会社が高く買い取る固定価格買い取り制度をつくった。04年に改正された再生可能エネルギー法である。太陽光パネルを設置して発電すると、電力会社は高い料金で買い取る。高い買い取りコストは、利用者の料金に上乗せされる。全体で薄く負担することになる。早く設置しないと損をするというインセンティブがはたらく。

太陽光パネルを設置すると年間20万円ぐらいの売電収入になるから、設置コストが２００万円なら10年で費用は回収できる。しかも電力の買い取りを20年としたので、残りは利益になる。こうしてドイツでは急激に太陽光パネルが普及していった（後述するが日本が太陽光のみならず自然再生エネルギーの電力に同様の固定価格買い取り制度を導入するのは２０１１年の３・11後となる）。

08年度末の太陽光発電の総設備容量ではドイツは５４０万キロワット、日本はその半分にも満たない２００万キロワットと差が開いてしまい、太陽光は２０１１年の３・11が起きるまでにすっかり斜陽産業になってしまい、復活を遂げたときには世界市場は中国に奪われていたのである。

だが過去に深刻な大気汚染に直面してきた東京都は、06年12月に「10年後の東京」という中期計画をつくり、２０２０年までにCO_2の２０００年度比25パーセント削減を打ち出している。「２０１６年までに１００万キロワット相当の太陽エネルギー（太陽光・太陽熱）の導入拡大を目指す」とした。火力発電所の1基分にあたる。

原油換算で１５００キロリットル以上を消費している都内の大規模事業所（オフィスビル、工場、ホテル、デパート、大学、テレビ局など）１４００カ所に25パーセント削減を義務付ける。東京都環境局は東京商工会議所など企業側と話し合いを繰り返し、設備改善など技術的な指導や立入調査も実施して同意にこぎつけた。

旧型の空調機やボイラーを換えることで大幅な削減ができるし、設備が更新されることで新しい需要が生れる。こうしてCO_2排出総量の義務化と東京型排出量取引制度の導入が決まり、条例がつくられたのが08年6月である。

太陽光パネルの購入に対して、2年間に4万世帯分（1年に2万世帯、1日約60世帯）、基金90億円を用意したのが08年9月だ。1キロワット当り10万円、標準的な住宅は3キロワットで30万円の補助金がもらえる。

遅ればせながら経産省も、福田内閣で09年度予算の概算要求に太陽光パネルの補助金を238億円計上した。その福田内閣は9月24日に総辞職。その日に成立した麻生内閣は、リーマンショック（9月15日）による数十年に1度の不況下では総選挙に不利、政治的空白をつくってはいけないなどの理由で解散せず、補正予算を組んだ。この第1次補正予算に前倒しで補助金が組み込まれた。09年1月13日、3年振りに補助金が復活したのだが、空白期間の痛手は大きかった。

補助金は1キロワット当たり7万円。3キロワットで21万円（最大出力10キロワット未満、かつシステム価格1キロワット当り70万円以下が要件）。

東京に住んでいれば、東京都から30万円、区や市からもそれぞれ違いがあるが、同程度の補助金が出る。僕の仕事場がある港区の場合は3キロワットで30万円（新宿区42万円、品川区20万円、三鷹市15万円）である。経産省・東京都・港区を合計すると81万円の補助金がもらえるはずだ。

それに対して設置費用は新規住宅なら180万円（さらに住宅ローン減税が19万円）、既設住宅の場合は工事用の足場設置などで2割増になり230～240万円ぐらいかかるだろう。

わが事務所の屋根に港区第一号申請の太陽光発電

「まあ、プリウス1台を買うようなものだな」

独り言ちた。地球温暖化ガスの削減に1票を投じようと考えていた。エコカー減税が適用されるプリウスを買おうかと思ったが、現在使っているクルマは走行実績も少なく、売り時ではない。

太陽光パネルにこれだけ補助金がつくのだから普及に協力するのもよい。副知事室に都庁にいる環境局の職員を呼んだ。

「1年に2万世帯のノルマは達成しているのかね？」

「いえ。まだ6000世帯です」

声が小さい。

「宣伝はちゃんとしているのかい?」

「『広報東京都』に載せています」

「ああ、チラシといっしょに新聞に挟み込まれているやつか。それだけ?」

「都庁のホームページにもありますし、新聞の話題としてもずいぶん取り上げられているんですけど」

「このままなら、予算があまってしまうではないか」

「ようやく国も重い腰をあげたので右肩上がりではあります。昨年11月から余剰電力の買い取り制度ができましたから(09年11月に「太陽光発電の余剰買取制度」ができた。これが2011年の「固定価格買取制度」の萌芽となる)。麻生政権時代ですが7月1日にエネルギー供給構造高度化法が成立し11月1日から開始されたので、かなり追い風になると思います」

「余剰電力を売ることができる?」

「通常の電力料金は1キロワット時で24円、その2倍の48円で電力会社が買い取ります。経済産業省が試算した一般家庭のモデルですと、売電収入は10年間で100万円近い(＊発電容量3・5キロワット、売電比率・平均6割)。まあ1年間で約10万円、毎月1万円近い電気料の節約になります」

「そうか。港区ならば国と都と区で補助金は81万円。そこに10年で約１００万円が加われば……」

僕の顔がほころぶと環境局の職員は、うつむき加減に言った。

「あの、副知事のところは住宅ですか。住民票はたしか郊外のほうじゃなかったですか」

「住民票は郊外の住宅のほうにある。西麻布の建物は仕事場だよ。猪瀬事務所という法人名義ではいけないのか」

「個人住宅じゃないのでダメですよ」

どうも腑に落ちない。太陽光パネルを普及させるために政策誘導するのだから、法人であっても個人住宅と差別化する必要はない。むしろ、その辺のお店屋さんも小さな町工場もみな法人じゃないか。都心には個人住宅よりも、中小零細企業の建物が多い。住宅であっても法人であり、その屋根に乗せないのはおかしい。

この話はこれで終わった、と思った。幾日かして再び環境局職員が現れた。

「あの、法人登記でもできます」

「なんだ？」

「ですから、すみません。説明が足りませんでした」

「できるのか？」

「ええ。仕組みがちょっと……。国と都からは補助金が出ません」

「それならだめじゃないか」

港区のホームページを刷り出してきた。「港区では、地球温暖化を防止するために、業務用太陽光発電システムを設置する中小企業者及び個人事業者に、設置する経費の一部を助成します」

「設置対象経費総額の4分の1相当額」と記されている。

「なるほど。240万円ならば、60万円出してくれるということか。81万円より少ないけれど、まあまあだね。でもなぜ東京都で補助金を出さずに港区に負担させているの？」

「じつは東京都が港区の補助を一部、支えているのです」

環境局の職員は「東京都地球温暖化対策等推進のための区市町村補助制度の概要」というペーパーを拡げた。東京都が区や市に対して「地域内の地球温暖化等の対策を推進する補助事業」に補助金を出す。そのひとつに「中小企業等における再生可能エネルギー設備導入」の項目があり「太陽光発電システム（住宅用途のものを除く）」と記されている。

「何を言いたいのかね」

「240万円かかるとしたら、その10分の1の24万円分は東京都が間接的に補助しているのです」

「60万円のうち24万円が東京都、残り36万円は港区が負担するわけだ。ところでもう２０ ０９年の年度末（２０１０年3月）に近いけれど、枠があまっているの？」

「港区では10件分、最大１０００万円の枠があります」

「10件分しかないのか」

「ええ。でも、まだ申請はゼロです。11月1日に国の余剰電力の買い取り制度ができたタイミングで港区の助成制度ができましたので」

「僕が第1号だということは、よく知られていないからだろう」

「早くしないと締め切られます。３月19日までに工事完了報告書を港区環境課に提出しなければいけません」

「申請第1号なのに早くしろとは、なんだか勝手すぎないか」

急がないといけない。下調べをしてから、すぐにシャープ、京セラ、サンヨーの工務店に連絡を取った。〝競争入札〟だ。

シャープはシェアがトップだから量産効果もあり価格が安い。京セラはシャープと同じタイプの「多結晶型」の電池である。それに対してサンヨーは価格が高い。「単結晶と非結晶のハイブリッド」で、いろいろな層の光を取り込むことができるので発電効率がもっともよい。以上の３社はシリコンを素材としている。

違ったタイプの見積もりも取ってみようと考え、「化合物系（薄膜系）」の昭和シェルにも来てもらった。工務店の説明では、「薄膜というぐらいで、ガラスの上にメッキをするようなものだからコストが安い。これから価格競争の時代なので主流になる」そうだ。

一長一短があるのだ。僕の仕事場は、狭い土地に建てられた設計事務所のようなコンクリート打ちっ放しのアトリエである。4階建てだが3階部分から壁が斜面でせり上がっている。

問題はその斜面の面積である。斜面はヨコ4メートル、タテ5・6メートルしかない。昭和シェルのパネルの価格は安いが、発電効率も低いため補助金の対象となる3キロワットを確保するには斜面では足りず、4階の屋上部分にもパネルを置かなければいけない。それも一案だが、工事費がかさむ。サンヨーは密集地の東京でシェアがトップだと聞いていたが、体験してわかった。昭和シェルは土地が広く屋根が大きい地方に向いている。

メーカーによってパネルの大きさは違うが、斜面に組み合わせパズルのように並べるシミュレーションを繰り返したが、シャープも京セラもわずかにはみ出してしまう。

太陽光パネルが普及するにしたがい、設置工事による雨漏りの苦情が増えていることは耳にしていたが、パネルを固定する架台をつけるためにコンクリートに穴を開けなければいけないと言われ、ちょっと迷った。パネルの価格だけではなく、工務店の技術水準も

〝競争入札〟の重要要件であることに気づいた。

パネルを取り付けるためには足場も組まなければならない。パネル1枚で1メートル四方もあり、重さも15キロぐらいだからチーム作業である。ハシゴに登って屋根に持ち上げる人、屋根の上から受け取る人、ハシゴを支える人が必要だから、エアコンの取り付けとはわけが違うのだ。

屋根葺き業者の知識もいるし、パネルを組み付けたり室内の配線とつなげたりする電気工事の技術も必要である。両方ができなければならない。木造の屋根では垂木の位置を確認せずにアンカー（釘）を打ち込む失敗や、コンクリートの建物では防水層に穴を開けた例もある。

結局、設計図面とにらめっこしてコンクリートの防水層に打ち込むアンカーの長さを短くすれば、内部のアスファルト層を傷めない、と提案したサンヨーの工務店に軍配が上がった。

2月の東京は天候不順で、雨天がつづき雪も舞った。屋外の取り付け作業ができない日は、室内作業である。太陽電池が発電した直流電力を交流電力に変換するパワーコンディショナー（これだけで30万円近い）や、発電・売電・消費がカラーで表示されるモニターなどを取り付ける。太陽光パネルに加え、これら室内の設備一式を入れ、取り付け工事費を含め、トータルで価格が決まる。だから正式にはシステム価格と呼ばれる。

ドイツが凄い、と書いた。だがドイツの太陽光バブルはすでにはじけている。ドイツのほかスペインも電力の固定価格買い取りで太陽光パネルの普及率は第2位となっていたが同様である。ドイツは04年時点で買い取り価格を1キロワット当たり75円に設定していた。08年時点で50円ぐらいに下がり、さらに下がりつづけて、40円を切るのは時間の問題とされている。太陽光パネル設置のインセンティブは弱まった。

ドイツが失速しはじめた理由は全量買い取りの仕組みにある。全量買い取りの場合、財源は薄く広く徴収した電気料金だ。太陽光パネルの普及率が上昇すると〝薄く〟が、厚く広く、となる。すでに〝厚く〟は5パーセント、電力料金が月額400円以上の上乗せ料金として反映しているのだ。

日本の方式は余剰電力の買い取りである。実際につけてみてわかった。カラーモニターにつねに3種類の数字が表示されている。ある日の午後1時にメモをしたのだが、太陽のイラストの横に1・6キロワット、発電量の数字だ。家屋のイラストの横に消費量が3・7キロワットと出ている。電線のイラストの横には買電が2・1キロワットとある。

最後の数字は発電と消費の差だ。電力会社から2・1キロワット買っている。売る側になりたいなら、消費を節約しなければならない。暖房を切ったり、電気を消してみたら消費量が1・5キロワットとなった。買電の文字が売電に変換され、0・1キロワットが売れた。余剰買い取り式は節約インセンティブがはたらく。仕事場の電球を全部LEDに変えようか、と意識革命につながる。

ドイツ式の全量買い取りはパネル分の国民負担が増える。全量買い取りがドイツ国内メーカーを急成長させたが、内需に甘えコスト削減努力を怠った。そのとき価格の安い中国などの海外メーカーが一挙にドイツに押し寄せた。ドイツメーカーは価格競争で中国メーカーに負けてしまう。

日本は09年末に補助金が復活したことに加え、余剰電力の買い取り制度がはじまったのでようやく太陽光パネル市場が急拡大しはじめた。内需が成長を押し上げれば、メーカーでも工務店にも雇用が増える。

福田政権が洞爺湖サミットの直前に「太陽光発電を2020年までに10倍に引き上げる」と宣言した。麻生政権も09年4月に「20倍を目指す」とした。民主党政権発足後、鳩山首相は「温暖化ガス排出量を25パーセント減らす」と宣言して「30倍」を打ち出した。10、20、30倍といけいけどんどん、なんだか無責任な話に聞こえた。

08年に世界一だったドイツのQセルズは、09年前期で6位に落ち、アメリカのファーストソーラーが1位となった。シャープは2位で健闘しているが、3位に中国のサンテックが入った。ファーストソーラーのパネルは価格の安い薄膜型だ。日本メーカーは価格競争に晒され順位を落としていった。

太陽光発電で日本メーカーがグローバル市場を席巻するだけでなく、システム価格を下げて国内の電力需要を相当程度まかなうぐらいの覚悟が必要だ。耕作放棄地を太陽光パネルで埋めつくすと全電力需要の半分をまかなえるとの試算も出された。2010年にガソリン価格が再び上がりはじめた。いずれ枯渇するのだから投機市場の狂乱は見えている。日本は得意技でオイルショックを乗り切ったことを忘れないでいたい、そう思った。

どの補助金がよいかを考え、ベストな選択を

もう一度振り返ろう。省エネ先進国のはずの日本がなぜ2000年代に入ると海外の後塵を拝することになっていったのか。太陽光発電では世界一の生産量と市場を有していたが2005年をもって補助金が打ち切られて国内市場は縮小したこと。09年末に補助金は復活するが、すでに海外勢に市場を奪われコスト的にも負けはじめる悪い循環に入ってしまったこと。前章で記したように日本は2000年代から原子力発電に重点をシフトさせてしまっていたせいである。

その「原子力一本足打法」は3・11によって挫折を余儀なくさせられたところから、日本の再生エネルギー政策は復活できたのかといえばそうではなかった。

そのあたりは第4章で詳しく述べたい。

第2章で述べた世界から取り残されそうになってきたEV市場へのてこ入れはどうやっているか、最近の実情に触れることにする。

トヨタは2021年4月21日から開催された上海自動車ショーにSUVタイプの新型EVのコンセプトカーを公表したが、発売は2025年を想定している。だが「EV専用プラットフォームを採用」「四輪駆動制御技術」「彫りの深い情感あふれるエクステリア」などの表現は目新しいものではなく、すでに発売されている他メーカーのEVで実現しているので、わざわざ5年も遅らせて発売する理由に乏しい。2025年までに15車種のEVを導入する、との宣言も何をいまさら感が強い。

いま眼前に登場している車種はトヨタの高級ブランドであるレクサスシリーズのEV、UX300eは600万円台であるにもかかわらず航続距離は367キロにすぎない。とにかくハイブリッドへのこだわりを早く棄てないと市場は海外勢に支配されてしまう。

日本はいまEV戦争に負けそうになっている。経産省も環境省もようやく補助金体制を整えて消費者にインセンティブを与えるべく動き出した。しかし、この補助金は国産車のみへの適用ではなく、当然ながら輸入車を含むすべてのＥＶに対してである。

電気自動車（ＥＶ）には、個人や企業で利用できるさまざまな補助金や優遇策がある。

政府は補助金を創設して電気自動車（ＥＶ）を普及させようとしている。従来、ＥＶを購入する際に一般的な補助だったのが一般社団法人・次世代自動車振興センター（ＮｅＶ）が窓口になっている「クリーンエネルギー自動車（ＣＥＶ）補助金」である。これは経済産業省の予算で賄われていて、プラグインハイブリッド車（ＰＨＥＶ）や燃料電池車（ＦＣＥＶ）も対象である。上限は車種区分によって異なるがＥＶの場合は40万円である。

カーボンニュートラルの波に乗って創設された補助金が２つある。環境省と経済産業省の連携事業として２０２０年度第３次補正予算に計上された補助金だ。連携事業とされているが実際には別々の事業である。経済産業省が実施するのは、「災害時にも活用可能なクリーンエネルギー自動車導入事業費補助金」であり、環境省が実施するのが「再エネ電力と電気自動車や燃料電池自動車等を活用したゼロカーボンライフ・ワークスタイル先行導入モデル事業」である。どちらも長い事業名でわかりにくいが大きな違いがある。補助要件が異なるのだ。

経済産業省が補助要件としているのは、ＥＶと「充放電設備／外部給電器」を同時に購入することである。対象は個人だけで法人は対象外だ。長い事業名からわかるように災害時に購入したＥＶ車に蓄電した電気を使うための機器をセットで購入するよう促している。補助上限額は、電気自動車が上限60万円、プラグインハイブリッド車が上限30万円、燃料電池自動車が上限２５０万円である。充放電設備の設備費や工事費、外部給電器にも補助がつく。

それに対して環境省が補助要件にしているのが「再エネ１００パーセント電力調達」である。対象は個人・法人であり、自宅やオフィス、工場などで使用する電力をすべて再エネにすることが条件である。つまり、環境省はＥＶと再エネの普及をセットで考えているということだ。

補助上限額は、ＥＶが上限80万円、プラグインハイブリッド車が上限40万円、燃料電池自動車が上限２５０万円である。また、充放電設備の設備費や工事費、外部給電器の補助にもオプションとして受けることができる。

注意が必要なのは新しく創設された２つの補助金は従来の補助金（「クリーンエネルギー自動車補助金」）と併用することができないことと、経産省と環境省の補助金を併用することはできないことだ。クリーンエネルギー補助金はいわば〝単純補助金〟、新しくできた経産省と環境省の補助金は、災害時に活用できるとか再生エネルギーを活用するとかそれぞれ〝意味あり補助金〟という違いがあり、そのぶん金額も大きい。菅首相が「２０５０

年カーボンニュートラル宣言」をしてから、直近の２０２０年第３次補正予算によって誕生したばかりの補助金なのである。

つまり、ＥＶの購入を検討する賢い消費者はどの補助金がよいかを考えてベストな選択をしなければならない。

ＥＶを購入する場合、経産省の補助額は60万円、環境省の補助額は80万円である。環境省のほうが20万円高い。その差額は20万円だが、「再エネ１００パーセント電力調達」という要件が一見してハードルが高そうに見える。しかし、再生可能エネルギーは高い、という考えはもう時代遅れである。

自宅の電気を簡単に再生可能エネルギーにできる

この２０２０年度第３次補正予算が閣議決定された日（12月15日）、小泉環境相は閣議前の記者会見で「単に車両の導入にとどまらず、個人向けに再エネ電力とセットで導入する取組を支援することは我が国初であり、国民の皆さまには、この予算を有効に活用していただきたい」とこの事業の目的を説明し、再エネの国民負担をどう考えているのかと質問した記者にこう答えた。

「まさにコストは度外視できませんよね。そのコストを下げていくという前に、再エネ＝高いという思い込みを変えていきたいと思います。私も自宅の契約をすべて（再エネ）１００パーセントに変えました。電力料金は下がるんです。こういった事例をやはりもっと知らせていかなければいけない」

かつて、再エネは自宅に太陽光パネルを設置しなければ利用できないだとか金持ちの道楽だとか言われた時代があったが、現在では電力会社との契約を切り替えるだけで自宅の電気を再生可能エネルギーにすることができる。

実際に僕のオフィスでシミュレーションをしてみよう。僕のオフィスは東京電力の「電化上手」というプランで契約している。電力量料金が昼間、朝晩、夜間と３つの時間帯で分けられていて、夜間料金が安いのが特徴だ。電力料金は使用した電力量に応じて決まる「電力量料金」に加え（従量制という）、「基本料金」、「再生可能エネルギー発電促進賦課金」、「燃料費調整額」で決まる。どの会社と契約しても再生可能エネルギー発電促進賦課金、燃料費調整額は同じなので、電力量料金と基本料金を較べればいい。

僕は夜間に執筆活動をするので夜間電力が安い「電化上手」というプランで電気料金を節約できている。再エネ１００パーセントにしても電気料金は変わらないのだろうか。

比較するのは環境省によって「再エネ１００パーセント電力調達」の要件を満たすと審

図3-1　電力料金（実際の料金とシミュレーション料金）

	電力使用量	2020年5月2日 ～2020年6月1日	2021年5月2日 ～2021年6月1日
	昼　間	153	146
	朝　晩	256	273
	夜　間	311	385
	合計（kw）	720	804
東電 電化上手	昼間料金（¥32.32）	¥4,945	¥4,719
	朝晩料金（¥26.49）	¥6,781	¥7,232
	夜間料金（¥12.48）	¥3,881	¥4,805
	電力量料金	¥15,608	¥16,755
	基本料金	¥3,630	¥3,631
	合　計	¥19,238	¥20,386
		↑実際の料金	↑シミュレーション料金
Looop スマートタイム	昼間料金（¥17.5）	¥2,678	¥2,555
	朝晩料金（¥27.5）	¥7,040	¥7,508
	夜間料金（¥20.5）	¥6,376	¥7,893
	再エネメニュー（¥1.43）	¥1,030	¥1,150
	電力量料金	¥16,093	¥17,955
	基本料金	¥0	¥0
	合　計	¥17,123	¥19,105
		↑シミュレーション料金	↑実際の料金

電力料金＝基本料金＋電力量料金＋再生可能エネルギー発電促進賦課金±燃料費調整額
※再生可能エネルギー発電促進賦課金、燃料費調整額を除いて試算

査された電力会社の再エネ100パーセント電力メニューである。2021年3月16日現在で62社のメニューが並んでいる。おそらく今後はもっと増えていくだろう。関東エリアには水力発電も行っている東京電力や大手石油系のENEOSの「ENEOSでんき」のプランなどがあるが、そのなかで「Looopでんき」という新電力に注目した。

　実際に比較したものが図3―1である。「Looopでんき」の電力プランについてもう少し説明を加えておく必要があるだろう。「Looopでんき」が提供するのは一般家庭向けの「おうちプラン」や事業所

向けの「ビジネスプラン」、「スマートタイムプラン」などであり、これ自体には再エネ100パーセントという要素はない。ここに再エネ100パーセントであるという保証を上乗せするプランを販売するのだ。「Ｌｏｏｏｐでんき」の場合、「ｅｎｅｃｏＲＥ100パーセント」を1キロワットあたり1・43円で販売する。

「Ｌｏｏｏｐでんき」はこれまで段階的に行われてきた発送電分離によって誕生した「新電力」のうちのひとつだが、新電力は発電事業者から電気を調達して住宅や企業に電気を販売する事業を行う「小売電気事業者」である。

どのように電力を調達してどのような価格で消費者に売るのかはまさに自由競争である。自社で発電所を建設したり、太陽光パネルを設置した家庭から余剰電力を買い取ったり、あるいは小売電気事業者や発電事業者が電気の売買を行っている「日本卸電力取引所」（ＪＥＰＸ）から調達するなどさまざまである。

このうち、「日本卸電力取引所」（ＪＥＰＸ）で小売電気事業者が発電事業者から再エネ発電の電力を買い取る価値を「非化石証書」として取引可能とした。この「非化石証書」の取得費用分が1・43円と考えていい。

比較してわかるように「Ｌｏｏｏｐでんき」のメニューの斬新さは基本料金が0円になっていることである。消費者が使用した電力量に関係なく支払うのが基本料金だが、Ｌｏ ｏｏｐは消費者から固定費を徴収せずに使った電力だけ電気代を請求するというメニューを打ち出している。顧客としては節電した分のコストカットのメリットを感じやすいのでわかりやすい。

基本料金は一般的に「契約電力」によって決まる。たとえば、僕が東電と契約していた「電化上手」のプランならば「契約電力」は東電から供給される１５０アンペアという電圧の強さということになる。

じつは、この「契約電力」は消費者が基本料金として小売事業者に対して支払っている電気料金だけでなく、小売事業者が送配電事業者に対して送電線の利用料として支払う「託送料金」も決めている。つまり、基本料金も託送料金も「契約電力」に比例して決まるのだ。基本料金でも託送料金でもアンペア数で料金を決めるのが当たり前だった。

しかし、２０１６年の電力全面自由化のときに新たな「契約電力」の決め方として、各消費者の電気の使用量状況に応じて決める「実量制契約」が整えられた。実量制とは、「契約電力」の算定根拠を30分ごとの電気使用量を確認できるスマートメーターで計量した過去1年間の電力の最大値で決定する契約方法である。

実量制では、消費者が使用した電力の実績値で契約電力が決まり、基本料金も決まるため、節電すれば電気代が下がる。また、小売事業者としても託送料金が下がるので原価を抑えることができる。

電気の原価計算は複雑で、電力自由化前にはかかった費用の全部を上乗せする「総括原価方式」（のちに詳細に述べる）のもと計算もできなかったが、スマートメーターが普及したことで電気の使用状況がデータとして把握できるようになったため、統計分析できるようになった。

実量制契約は消費者に年間の電力ピーク時使用量を下げることを意識させられたら発電・送配電側としては余計な設備投資をしなくても済むという契約方式といえる。年間の電力ピーク時使用量のためにキャパを用意していたらそのぶんだけ投資コストが上がってしまうからだ。

基本料金ゼロを実現したＬｏｏｏｐ

この実量制を活用して基本料金ゼロを実現したのがＬｏｏｏｐである。「基本料金ゼロ」を主導したＬｏｏｏｐの電力事業本部の小嶋祐輔本部長に説明してもらおう。

「『基本料金ゼロ円』は携帯電話の料金形態などで既に一般的でしたが、電力業界では、たとえまったく電気を使わなくても、電気を契約してさえいれば基本料金分の請求が必ず発生していました。Ｌｏｏｏｐはその常識を変えてしまおうと思ったのです。とはいえ『基本料金ゼロ円』の料金設計を提案した後、顧客メリットは大きいにせよビジネスは成立するのか、赤字になりはしないか、社内でもこうした疑念が噴出しました。基本料金がゼロ円ということは、たとえばふだん使っていないセカンドハウスでの利用や、働き盛りで家を空ける時間の長い一人暮らしの方など、電気をあまり使わない利用者の割合が増えればそれだけ赤字になるリスクが高まります」

託送料金は別名で「接続送電サービス料金」などとも呼ばれており、各送配電業者は実量契約やアンペア数での基本料金の料金単価を公表している。

「東京電力の接続送電サービスを利用した場合、実量契約なら1キロワットあたり２１４・５円ですが、アンペア契約数なら10Ａあたり１４３円なのでふつうの家庭の契約が30Ａだとすると４２９円ということになります」

東京大学大学院工学系研究科産業機械工学専攻修士課程を修了し、大手電機メーカーでテレビの製品開発に従事した後、経営コンサルを経て２０１４年にＬｏｏｏｐに入社した小嶋は統計的な分析を基に、料金単価の設計を精緻に行い、とくに電気の仕入れ値である原価を徹底的に見直した。背景には、やはり「スマートメーター」が普及したことでデータ分析ができるようになっていたことが大きい。実量制という契約形態もスマートメーターから送信されてくるデータを使って電気の使用状況を統計分析できるようになったことを受けて実現したものだろう。

「実量制契約を利用すると、電気をたくさん使う人はそのぶん使用する電力も大きくなるため高くなりますが、電気をあまり使わない人に適用すれば契約アンペア数による託送料金設定と比べて料金を抑えることができるのではと考え、使用量と託送料金の関係を分析しました。その結果、電気の使用量が少ない人ほど、相対的に年間の使用量のピークも低いことがわかり、契約方法を変更することで電気の原価が抑えることができたのです」

こうしてＬｏｏｏｐは電気をあまり使わない利用者の割合が増えてもそもそも原価を抑えることができ、結果として基本料金ゼロ円につながった。実量制という契約の趣旨も電力のピーク時使用量を下げることなので、Ｌｏｏｏｐのように使った量だけ電気代を支払うプランなら電力のピークを下げることに寄与できる可能性が高い。

また、Ｌｏｏｏｐは契約方法を変更するだけでなく「電力調達単価」でも契約方法を工夫したと小嶋部長は述べる。電力調達単価には、単価が固定（7・45円）である場合と、昼間は高く（8・2円）夜間と休日が安く（6・55円）設定された「時間帯別」があり、「時間帯別」を選んだ。

「昼間が高く夜間と休日が安いというのは、電気をあまり使わない一人暮らしの人の行動パターンと非常に相性が良いです。電気をあまり使わない人にはこの『時間帯別』を適用することで、さらに電気の原価を抑えることに成功しました」

Ｌｏｏｏｐはデータに基づきながらリスクヘッジをしつつ電力業界で初となる基本料金ゼロを新製品とした。２０２１年３月時点では全国で30万件を超える地点に電力を供給するまでに成長している。

「Ｌｏｏｏｐでんきの『使った分だけ請求、基本料金はいただきません』という料金設定は、シンプルながら革新的と捉えられ、顧客にわかりやすいメリットとして受け入れられた。フェアで公共性の高い料金システムは、とくにマネーリテラシーの高い層に受け入れられ、通信会社やガス会社など、既存の顧客基盤を持つ会社が主力である新電力業界の中で、独立系としては供給量№１となるまで成長しました」

こうして実際に比較してみると「再エネ１００パーセント電力調達」のハードルは高くないということがわかった。

電力会社を東京電力から「Ｌｏｏｏｐでんき」にするほうが有利だと考えて契約を変更することにした。これで環境省の補助金をクリアすることができる。

さらに、ＥＶ購入を促進しているのは政府だけではない。地方自治体も独自に施策を講じている。

経産省・環境省が新たな補助金を創設したことはすでに述べたが、この環境省の補助金とリンクした補助金が東京都環境局ではじまった。東京都環境局ではこれまでにもＥＶやプラグインハイブリッド自動車（ＰＨＶ）、燃料電池自動車（ＦＣＶ）などの導入費用を一部補助していた。ＥＶを購入すると個人は30万円、事業者は25万円が補助されていた。

それが、２０２１年度からは個人45万円、事業者37・5万円に増額され、さらに環境省の「再エネ１００パーセント電力調達」の補助金を併用して申請すると個人60万円、事業者50万円とアップされた。つまり、東京都民が環境省の補助金を利用してＥＶ車を購入すると個人ならば１４０万円（環境省80万円＋東京都60万円）、事業者なら１３０万円の補助を受けられる。結果的に再生可能エネルギーの普及にも貢献することになる。

しかし、東京都の補助金には落とし穴がある。東京都環境局のホームページには赤字でこう注意書きしてあった。

「令和3年度に申請受付をされても、令和3年3月31日までに初度登録された補助対象車両については、令和2年度補助事業の補助額となりますので、ご注意願います」

僕のテスラは3月19日に初度登録なので旧年度扱いにされてしまい、残念ながら補助金は25万円しかもらえない。

経産省・環境省は補正予算でカーボンニュートラルのＥＶ需要増の波に応えて制度設計

したので初度登録は旧年度内の12月21日以降ならＯＫとされており、当然３月19日もその範囲内なので80万円をもらう資格を有している。東京都の補助増額はあくまでも２０２１年度予算の話なので２０２０年度の間にＥＶを購入して登録した場合には、機械的に旧年度予算での対応にされてしまう。まあ、こころが通っていないというか融通が利かないとはこういうことだろう。

結局、僕のケースでは環境省80万円、東京都25万円、合わせて１０５万円の補助を受ける権利をもつ。４２９万円のテスラ・モデル３なら３２４万円で購入したことと実質的に変わらない。

なおクルマの蓄電池に貯めておいた電気を災害時に取り出すことができる充放電設備（V2H、ビークルTOホームの意味）は、半額補助でデンソー製なら55万円、ＧＳユアサ製なら75万円となる。ただし補助要件にＥＶ車と同時購入した場合とされている。

環境省は、ＥＶ車の場合と同様に再生エネルギーの電力使用が要件になっていて、個人でなく法人もありだがその場合には個別審査になる。

いずれにしろ経産省と環境省と縦割りで補助金を用意するのはそれぞれの制度創設のいきさつがあるとしてもユーザー側を向いたサービスとはいえない。テスラ社にもパワーウォールと呼ばれる放充電器があるが、いまのところＶ２Ｈでないため補助の対象とはされていない。

少し効果を上げた再生エネルギー買取・FIT制度

菅首相の「2050年カーボンニュートラル宣言」の結果、経産省も環境省も東京都もEV車補助金を充実させ、遅きに失したとはいえ急いでメーカーにも消費者にもインセンティブを与えようと動き出した。

環境省の補助金に「再エネ100パーセント電力調達」の要件があることに触れた。そのため僕は東京電力から新電力の「Looopでんき」に切り替えた。

2000年に電力の部分自由化によって東京電力や関西電力など9つの地域独占の電力会社（沖縄電力を加えると10電力）とは別の新規参入の小売電気事業者が経産省に認められた。九電力を一般電気事業者と呼び、新規参入事業者は特定規模電気事業者と呼ばれていたが、2016年の電力全面自由化以後、新電力の呼称になった。一般電気事業者は「旧一般電気事業者」に変更された。

9電力は再生エネルギーに消極的だったが、すでに触れたように2005年には太陽光パネルの生産量上位5社のうち4位までをシャープやサンヨーや京セラをはじめとする日本のメーカーが占めていた。ところが２００５年に補助金が打ち切られ、２００７年にシャープはドイツの新興メーカーに主位の座を奪われたばかりか、その後、日本メーカーは上位５社から姿を消した。

太陽光発電に冬の時代が続き、日本メーカーは世界市場から撤退する。このあたりのふらふらした腰が据わっていない姿勢は、太陽光パネルで儲けるという考えがありながらいっぽうで気候変動への認識が希薄だった日本人のガラパゴス的意識の問題も大きい。副知事だった僕が太陽光パネルを仕事場に設置したように、石原知事を先頭に東京都では気候変動への意識は高まっていたにもかかわらず経産省主導の政府は、９電力体制に引きずられていたのだと思う。

ようやく動き出したのは２００９年の終わりからである。２００９年11月、太陽光発電の余剰電力の買取り制度ができた。補助金でなく、１キロワット時当たり48円という高額の値段が設定された。一般的に１キロワット時当たり12円が相場と考えられていたから４倍は強いインセンティブになったはずだ。

僕の場合は太陽光パネルを設置したのが２０１０年３月で、10年間１キロワット時当たり48円で余剰電力を売却してきたが、２０１９年２月で期限が切れた。現在は１キロワット時８・５円での売却になっている。たかだか年間で３６０キロワット（３６００キロワ

IT制度の調達価格

2017年度	2018年度	2019年度	2020年度	2021年度	価格目標
入札制（2,000kW以上）		入札制（500kW以上）	入札制（250kW以上）		7円（2025年）
21円（10kW以上2,000kW未満）	18円（10kW以上2,000kW未満）	14円（10kW以上500kW未満）	12円（50kW以上250kW未満）		
			13円※2（10kW以上50kW未満）		
28円 30円※3 降は設置義務の有無にかかわらず同区分）	26円 28円※3	24円 26円※3	21円		卸電力市場価格（2025年）
21円（20kW以上）	20円	19円	18円		8～9円（2030年）
	36円（着床式）		入札制（着床式）		
	36円（浮体式）				
24円 / 21円 20,000kW以上）	入札制		入札制		FIT制度からの中長期的な自立化を目指す
24円 20,000kW未満）					
24円 / 21円 20,000kW以上）	入札制（10,000kW以上）		入札制（10,000kW以上）		
24円 20,000kW未満）	24円（10,000kW未満）		24円（10,000kW未満）		
2,000kW以上）					
2,000kW未満）					
7円（一般廃棄物その他バイオマス）、39円（メタン発酵バイオガス発電※5）]					
15,000kW以上）					
15,000kW未満）					
24円	20円（5,000kW以上30,000kW未満）				
27円（1,000kW以上5,000kW未満）					
200kW以上1,000kW未満）					
200kW未満）					

それがないことが確認されるまでの間は、FIT制度の対象としない。食料競合への懸念が認められない燃料については、ライフサイクルGHG排出量の論点を調達価格等算定委員会とは別の場において専門的・技術的な検討を継続した上で、ライフサイクルGHG排出量を含めた持続可能性基準を満たしたものは、FIT制度の対象とする。

7 石炭（ごみ処理焼却施設で混焼されるコークス以外）との混焼を行うものは、2019年度（一般廃棄物その他バイオマスは2021年度）からFIT制度の新規認定対象とならない。また、2018年度以前（一般廃棄物その他バイオマスは2020年度以前）に既に認定を受けた案件が容量市場の適用を受ける場合はFIT制度の対象から外す。

図3-2　日本の動向

電源【調達期間】	2012年度	2013年度	2014年度	2015年度	2016年度
事業用太陽光（10kW以上）【20年】	40円	36円	32円	29円※1 27円 ※1 7/1 ～（利潤配慮期間終了後	24円
住宅用太陽光（10kW未満）【10年】	42円	38円	37円	33円 35円※3 ※3 出力制御対応機器設置義務あり（2020年	31円 33円※3
風力【20年】※4	22円（20kW以上）／55円（20kW未満）				
			36円（洋上風力〈着床式・浮体式〉）		
バイオマス【20年】※4 ※6 ※7	24円（バイオマス液体燃料）				
	24円（一般木材等）				
	32円（未利用材）				32
					40
			その他［13円（建設資材廃棄物		
地熱【15年】※4					26
					40
水力【20年】※4	24円（1,000kW以上30,000kW未満）				
					29
					34

※2 10kW以上50kW未満の事業用太陽光発電には、2020年度から自家消費型の地域活用要件を設定する。ただ営農型太陽光は、10年間の農地転用許可が認められ得る案件は、自家消費を行わない案件であっても、災害時の活が可能であればFIT制度の新規認定対象とする。

※4 風力・地熱・水力のリプレースについては、別途、新規認定より低い買取価格を適用。

※5 主産物・副産物を原料とするメタン発酵バイオガス発電は、一般木材区分において取扱う。

※6 新規燃料については、食料競合について調達価格等算定委員会とは別の場において専門的・技術的な検討を行っ上で、その判断のための基準を策定し、当該基準に照らして、食料競合への懸念が認められる燃料については、その

ットの発電に対しての余剰分）の売却だから２４００円ぐらいにしかならない。

しかし、10年間は48円で売却していたので年間１万５０００円、10年で15万円の売却益を得ていたことになる（売却分と別に太陽光発電の自家消費分３２００キロワット時は単価20円で計算すると年間６万円、10年で60万円の電気料を節約したことになる）。

話を戻そう。太陽光発電で世界をリードしていた日本は補助金を停止してから２００７年以降、低迷を続けていたが２００９年に48円の買取りを設定した。２０１０年から再び上昇に転じるはずだった。だが補助金停止のつまずきから太陽光パネル設置そのものは増加しても、日本の太陽光発電パネルメーカーは低価格の中国勢に市場を奪われてしまった。このあとの巻き返しが２０１２年から始まり現在も続いているＦＩＴ制度である。

２００９年の固定価格買取り制度との大きな違いは太陽光のみに限られていた買取りが他の発電方法へと拡大された点にある。太陽光だけでなく、風力、バイオマス、地熱、水力などそれぞれに買取り価格と期限が設定された。

太陽光は事業用（10キロワット以上、期限20年）は２０１２年に設置した場合は40円、２０１３年は36円と毎年、買取り価格が下がっていく。２０２０年には13円に下がっている（規模によって入札制あり）。要するに早く設置すれば高く買い取りますよ、とインセンティブがはたらく仕組みである。住宅用（10キロワット未満）は、期限10年に設定されている。したがって僕が設置した太陽光パネルは買取りの期限が終了している。

風力は期限が20年、20キロワット以上が22円、20キロワット未満は55円、その後、20円、19円、18円と下がっていく。洋上風力は36円である。

以下バイオマス、地熱、水力とそれぞれの特性に合わせて期限や価格が設定された（2022年以降は現状の固定価格買取り制度が改正されて、大規模な太陽光・風力発電などは卸電力取引所の市場価格に連動する制度への移行が決まっている）。

ＦＩＴ制度によって発電業者は、買取り価格とその期限をにらみながら投資額に見合った利益を得られるか計算することになる。

こうして全電源に占める自然再生エネルギーの割合が２０１０年に９・５パーセントだったが、２０１９年に18パーセントとほぼ2倍に伸びた。

１９９０年代から２００５年ぐらいまでは太陽光発電において世界をリードしていた日本が、２００６年から紆余曲折があって低迷していた。２０１０年代に入りＦＩＴ制度が導入されてからはいっけん順調に再生エネルギー割合が伸びたように見える。だがじつはそうではなかった。日本の倍速で走り出していたヨーロッパの後塵を拝するようになったのはむしろ２０１０年代からだったのだ。

再生エネルギー電力の比率はそれぞれドイツ43パーセント、スペイン37パーセント、イ

図3-3 欧州の主要5カ国における自然エネルギー電力の比率

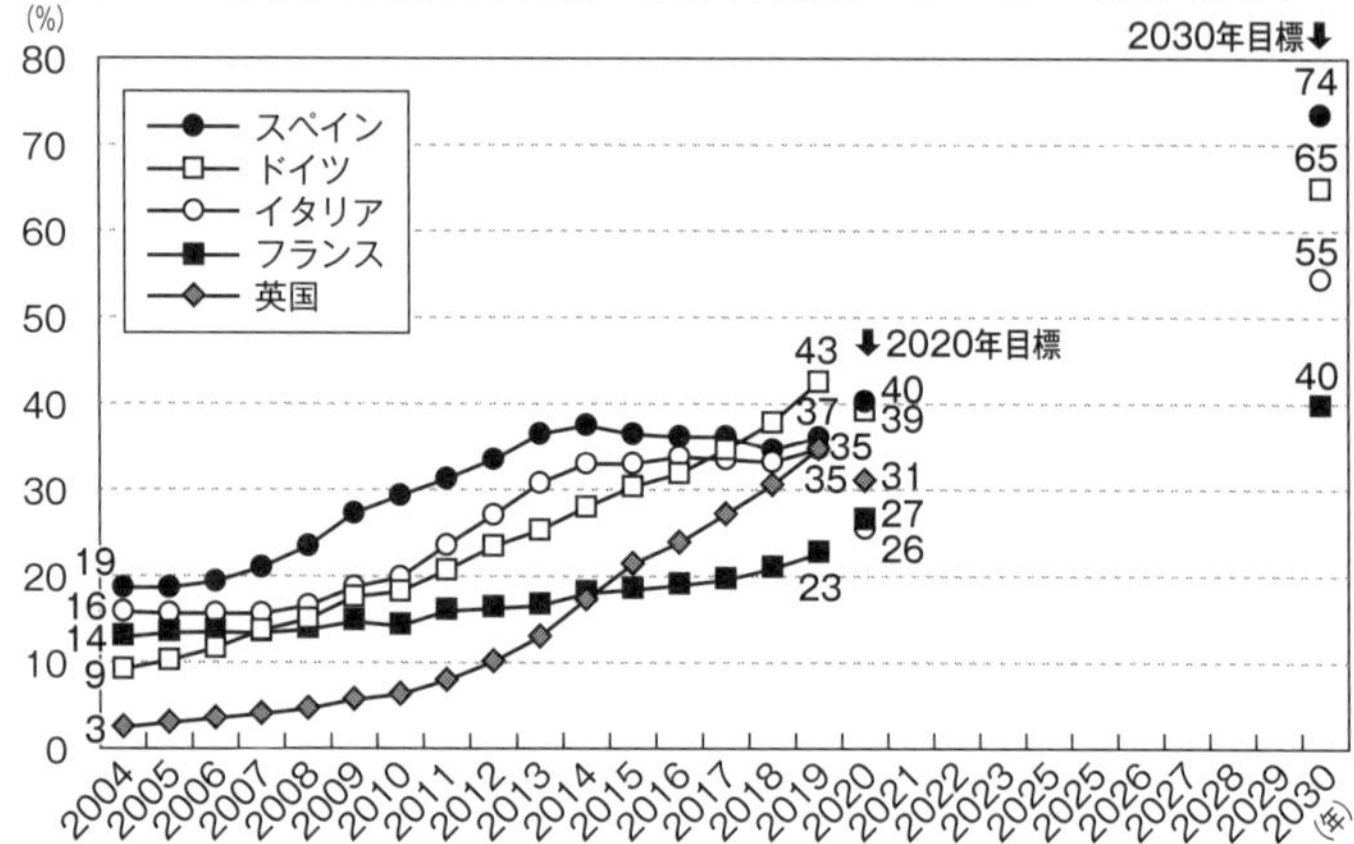

注：英国は2030年の目標を設定していない
出典：自然エネルギー財団「脱炭素で先頭を走る欧州」2020年12月

タリア35パーセント、イギリス35パーセント、フランス23パーセントであり、いずれも日本の18パーセントを大きく上回っている。

こうした流れのなかで描かれる実現可能な２０３０年の再生エネルギー比率は、ドイツが43パーセントから65パーセントへ、スペイン37パーセントから74パーセントへ、イタリア35パーセントから55パーセントへと目標を引き上げようとしている。

イギリスは２０３０年のシナリオを幾つか示しているが、電力の3分の1を洋上風力発電によって供給する計画を立てている。すでにイギリスは35パーセントを達成しておりそのうち洋上風力が10パーセントを占めているのでそれが30パーセントに伸びれば、全体で50パーセント以上が実現する。

フランスは40パーセントを目標としているから、現状の23パーセントの2倍近くを意欲的に実現しようとしていることになる。

２０１８年に策定されたエネルギー基本計画では、２０３０年の電源構成比における再生エネルギーの比率はたかだか24パーセントにすぎない。ヨーロッパ各国と較べて格段に低い。これを２０２１年11月に開催されるＣＯＰ26までに目標比率を大幅にアップさせておかないと、気候変動対策によって投資マネーが大きく動きはじめている現状で不興を買い、先進国として相手にされなくなる恐れがある。

日本最大の風車基地・宗谷岬ウインドファーム

そのためにどうしたらよいか。立ちはだかる壁は何か、である。

ひとつの例として僕が実地で見聞した北海道の宗谷地方の話をしておきたい。

地図で見ると、尖った形の半島の先が宗谷岬である。「日本最北端の地」というモダンなデザインの碑と、樺太探検に旅立ったという旧字体の文言「此地は吾が祖先の樺太と逓送を行える地なり、間宮林蔵渡樺を記念し……」と刻まれた石標がある。

すぐ近くの丘陵地帯に風車が57本も林立している。１基１０００キロワット、57基あるから5万7000キロワット、1カ所では最大の風車基地・宗谷岬ウインドファーム㈱ユーラスエナジーホールディングス）である。

稚内空港へ着陸寸前に窓から下を眺めると丘陵地帯には森が少なく、ゆるやかにカーブした草原が続き、木々も生えているが背が低い。地元の人に訊ねると、エゾマツとトドマツの区別は、たがいちがいに枝があるのがエゾマツ、同じところから枝が分かれているのがトドマツとのこと。あとはクヌギ（どんぐりの木）で、いずれも強い風に耐えて曲がっている。

つまり風車に最も適した場所が宗谷岬であり、北緯45度のこの地は風がぴゅうぴゅうと年中吹き荒れている。稚内市役所の職員は「北緯50度あたりがいちばん風が強いらしい。だからスウェーデンやデンマークに風力発電の適地が多い。もっとも、50度なら日露戦争で獲得した樺太（サハリン）のちょうど半分、かつての国境線あたりなので、まあ、国内では稚内がそれに近い」と苦笑した。樺太はシベリア大陸の半島と考えられていたが、独立した島ということを間宮林蔵が探検で証明したのだから自国の領地にしておけばよかったのに江戸幕府は何をやっていたんだと残念がってももう遅い。

風力発電機は高さが68メートルあり、翼は半径30メートル（直径60メートル）、真下に立つとでっかい。

宗谷岬には風速40メートルの風が吹き荒れることもあるが、それでは翼がもがれてしまう。風速2・5メートルから25メートルで発電する。1メートルや2メートルでは役に立たない。

稚内空港から岬の先端方向へ向かい風力発電基地を見たが、逆に南下して稚内市方向へ行くとメガソーラー基地がある。太陽光パネルが14ヘクタール、東京ドーム3個分の広さの草原に並んでいる。

シャープや京セラやサンヨーなど当時のほとんどのメーカーが揃っていたが、経産省の肝入りで2006年から2011年にかけ、70億円の補助金が太陽光発電の実験施設の名目で注ぎ込まれたからだ。したがって風力基地は民間経営だが、メガソーラーは市営である。ここを訪れた2012年当時は福島第一原発の事故もあり、買取りのFIT制度も整い再生エネルギーがあらためて注目されはじめた時期であった。

太陽光パネルは、太陽があたっているときだけしか発電しない。稚内市では少しでも発電効率を上げたいと、ホタテの貝殻の白い粉を敷地いっぱいに敷きつめている。雪が融け切らない4月、5月が最も発電効率がよいとわかり、それは反射のせいだから廃棄物として使い途がなかったホタテの貝殻を粉砕して敷きつめたのだという。

風力基地とメガソーラー基地、風も土地もいくらでもあるのだから、それならもっとつくればよいじゃないか、と考えるところだがネックがある。北海道電力から送電線のキャパシティーがない、と通告されたのだ。生産した電気を送ることができない。

いや後述するができないわけではないのだが、北海道電力は蓄電池の併設を系統接続にあたっての適用条件として譲らない。10万キロワットの発電設備に対して20万キロワットの蓄電容量を要求している。新電力側は数十億円の費用負担を強いられることになる。

北海道の風力ポテンシャルは国内の3分の1と見積もられているにもかかわらず、系統接続、つまり送電線が有効に機能できないとなれば大きな損失につながるし、再生エネルギーの拡大のネックとなってしまう。

人口の密集地と発電所を結ぶ送電線は太い。過疎地では細い送電線があれば足りる。従来の考え方としてはそのほうが効率はよい。高速道路と同じである。クルマが多い場所は費用対効果の面で片側3車線や2車線の高速道路をつくってもペイするが、過疎地なら国道も片側1車線しかない。

新たな送電線の設備投資をすれば相応の資金が必要になる。今後、本気で自然再生エネルギーに頼るとしたら、道路建設と共通の課題に向き合わなければならず、採算面でかなり苦しい。送電線の設備投資を民間企業というタテマエの地域独占の電力会社が、どこまでやるか。

再生エネルギーの送電を邪魔する大手電力

だがそう危ぶむ前に、現状の送配電網での解決策を見出すことができるのではないのか、という視点が必要である。

送配電施設を系統と呼ぶが、その系統への接続を拒否できたのは北海道電力が地域独占企業だからだった。地域独占の９電力会社はいわば〝殿様経営〟に安住していた。

いわゆる電力の自由化が始まったのは２０００年だった。まず「特別高圧」「高圧」と呼ばれる強い電力を必要とする大規模工場やデパートやオフィスビルなどに向けて電力小売りが自由化された。この時点では「低圧」に属する住宅や小規模店舗やオフィスは対象外だった。「部分自由化」と呼ばれた。

それより以前の１９９５年に電気事業法が改正され、製鉄所や製紙会社やガス会社が自分のところの発電施設によって発電した余剰電力を大手電力会社に卸売りすることができるようになっていた。これが電力自由化前の第一歩だった。

先に示した稚内の風力発電所をつくったユーラスエナジーＨＤは、１９９９年に稚内に近い苫前に風力発電所をつくり北海道電力へ売電しているが、一定量しか系統に乗せないと拒否されている。こうして卸売り、大規模施設への小売り、と電力自由化は遅い歩みを続けていた。「電力全面自由化」は２０１６年まで待たねばならなかった。２０１１年の福島第一原発事故より地域独占の９電力会社への風当たりが強く、しぶしぶ自由化への要求を受け入れたのである。一般家庭も含めてすべてのユーザー向けにさまざまな企業が電力を販売できるようになった。

地域独占の電力会社から一般ユーザーは電力を生産者側の言い値で買うしかない。電力の生産にかかったコストを電気料金に上乗せ回収する、その方法は「総括原価方式」と呼ばれた。電力会社としてはいくらでも消費者にツケを回すことができるから原発など高額な設備投資が可能だった。巨大な設備をつくれば必然的に電力に余裕ができるから停電率は下がり電力の質も向上する。しかしユーザーは放漫経営をチェックできないし、ガバナンスの緩みも指摘できない。福島の原発事故は、起こるべくして起きた。

総括原価方式は消費者へ高額なツケを回すだけでなく、納入業者をも腐敗させた。三菱重工、日立、東芝など指定業者として競争がなくコスト削減の創意工夫を失わせることになり、日本の重電企業の国際競争力低下にもつながった。つまり基幹産業の電力が地域独占であることで「腐った蜜柑」となり、連鎖的に大日本株式会社の中心部に腐食が染み渡っていったのである。

電力自由化によって、ガス会社や通信会社や住宅販売会社や石油販売会社など既存の産業がさまざまな料金メニューをつくり新規参入して競争が始まった。先に紹介したＬｏｏｏｐ電気のような太陽光発電を始めたまったく新しい発電会社も数多く現れた。

新電力は大手電力の送配電施設を利用するしかない。先ほどの北海道電力が稚内に風力発電の施設があってもその電力を札幌まで送電しないとなれば、せっかくの自然再生エネルギーも死蔵されるだけになってしまう。

つまり２０１６年に電力が全面自由化されたのだが、各地にある太陽光をはじめとする新電力の再生エネルギーを大手電力が送電線に乗せてくれなければ、再生エネルギーの生産は増えない。

送電網に乗せてくれてもその〝運賃〟が高ければ、新電力の販売価格が高くなって競争力を失う。この運賃のことを「託送料」と呼んでいる。先に触れたＬｏｏｏｐは原価である託送料を抑えることに成功した。いちおう大手電力会社は自社の小売り部門であっても新電力であっても託送料については差別しない、そういうタテマエになっている。

それを客観的に担保するためについ最近の２０２０年４月に「発送電分離」が実施された。この発送電分離により大手電力会社の送配電部門は別会社とされた。東京電力の送配電部門は「東京電力パワーグリッド」に、関西電力は「関西電力送配電」に、中部電力は

「中部電力パワーグリッド」に、九州電力は「九州電力送配電」に、と分社化した。とはいえ、この名称からわかる通り、ほとんど同じじゃないかといえなくもない。分社化であってヨーロッパのような別会社化ではない。

再生エネルギーの導入がヨーロッパのような伸び方をしないのは、送配電会社が大手電力であっても新電力であっても同じ市場参加者として公平にアクセスできないからではないか、との疑念があった。2020年4月に発電と送配電を分離したのは、その不公平を払拭するためでもあった。どういうことか。再生エネルギーの導入を抑制させている要因として、送配電会社側が送電線の空き容量が不足しているという理由で新電力側からの接続を拒否する事例が多発したのである。各地に太陽光発電が増えると、これまでも大手電力会社の発電施設からの送電で満杯になっている送電線には空き容量がない、と返答されるか接続負担金を求められたのだ。

じつはこの空き容量にはカラクリがある。既存の大手電力の発電設備が最大出力時の送電を保証するかたちで算定されている。たとえば稼働していない原発からの発電を〝満タン〟で通すためにわざわざ空けてあったりする。1台も走っていない高速道路に工事中の三角コーンを置いてまるまる1車線分を空けておくようなものと考えてよい。使っていないのだから、他のクルマに利用させればよいにもかかわらず、とおせんぼしている。たちがわるい意地悪と同じである。

たとえば2016年5月に、東北電力がわざわざ青森・秋田・岩手の3県の地域全般にわたって「空き容量がゼロ」と発表したのである。このとき再生エネルギー業界に激震が走った。それまで「空き容量ゼロ」とされていた送電線は、東北電力管内でも人口が少ない末端の電圧の低い送電線に対してであったが、電圧の高い基幹送電線を含む東北3県全体に空き容量がないと宣言したからである。もうこれ以上、再エネの発電を受け付けません、と断言するに等しい。

こうした大手電力の発電施設からの送電を優先する、単なる優先ではなく無意味な場所取り行為が罷り通ることから、その行為は「先着優先」主義と名付けられた。新電力より、先着の大手電力に優先権があるというゴーマンな姿勢である。

「空き容量ゼロ」で拒否できない仕組みがスタート

だがこの先着優先というあり方を解消すれば、送配電網にかなりの空き容量が生まれることがわかってきた。「想定潮流の合理化」というテクノロジーを活用した方法が取り入れられはじめたのである。これまで最大出力ベースで送電線の容量を割り当てていたものを、実際の潮流のシミュレーションベースで見直す取組みである。

安田陽京大特任教授（再生可能エネルギー経済学講座）が、各電力会社の基幹送電線全399路線の利用率の電力会社ごとの平均値を表にしてまとめた。

送電線利用率の全国平均は20パーセント以下（19・3パーセント）であるという驚くべき数字が明らかになった。空き容量ゼロと公表しながら、実際には送電線は数パーセントから2割程度までしか使われていないのである。

大手電力会社にとって送配電のシステムは、安定供給を使命とする独特の文化として存在している。「Nマイナス1基準」というシステムがある。もしも雷が落ちたり台風に襲われたりして送電線が倒れたら、もう1系統の予備の送電線で補完できるように設計されている。

つまり道路にたとえると、国道があれば必ずもう1本、バイパスがある。道路と異なるのは、バイパスはふだんは使われないこと。マイナス1とは、国道が崖崩れで封鎖された瞬間にバックアップとしてのバイパスが利用される仕組みのことだ。ということは送電線には空き容量がつねに50パーセントは存在する。いざというときのために確保してあるからだ。したがって「空き容量ゼロ」は理論的にはあり得ない。こうした安定供給のためにつくられた仕組みに通じているのは、送配電システムを担ってきた大手電力会社だけであった。彼らにとってはあたりまえすぎる文化であり、そもそも電力自由化など考える気持ちもないので、他所者には説明する義務感もなかったのである。

「想定潮流の合理化」にしろ「Ｎマイナス１基準」にしろ、送電線の空き容量の問題が透明化されはじめたのはきわめて最近の出来事だ。こうしたネックが解消されれば新電力による再生エネルギーへの投資は活発になり、発電能力は格段に向上するだろう。

さらに空き容量に新しい展開が加わったのは、つい先日である。

「２０２１年1月13日からノンファーム型接続の適用が開始されます。これによりノンファーム型接続適用系統となる基幹系統やその基幹系統と接続するローカル系統及び配電系統に接続する電源は、系統アクセスにおいて原則としてノンファーム型接続となります」（電力広域的運営推進機関より）

「ノンファーム型接続」とは何か。その説明の前に、電力広域的運営推進機関について説明しておこう。送電線は公的な仕組みであることを前提に利用ルールを見直すため、２０１５年に電気事業法に広域機関の規定がつくられた。９電力会社とセットで地域独占のかたちで存在する送配電会社を全国大で運用ができるようにするための広域機関である。

ノンファーム型接続とは〝とりあえず接続〟と言い換えてもよい。大手電力側が送配電への接続を、空き容量がない、との理由で拒否してきた。そうさせない仕組みがノンファーム型接続である。

すでに述べてきたように、空き容量がない、と言っても「先着優先」で場所取りをしていて使わせないこともあるし、Nマイナス1によって災害時のために空けてあったりする。また太陽光発電は昼間がピークだが、風力は夜間のほうが発電量が多いこともあったり、季節によっても違って太陽光発電は夏のほうが発電量が多いが、風力は冬が多かったりする。発電のピークが同時に来るわけではない。それでも流れる電力量がもっとも多いピーク時に、ほんとうに空き容量がぎりぎりの場合もある。しかしそれはほんの一瞬のことだ。その場合、送配電会社側から新電力側へ出力制御を要請することができる。

結局、いざというときに協力してくれるなら接続しますよ、である。ファームとは英語で堅固なという意味である。つまりこれまでは「ファーム型接続」であった。これからは先着優先でなく、送電線が混雑するタイミングで出力制御を受けることは承知ですから、その代わりにさっさと接続してくださいである。空き容量の変化に対して発電側も柔軟に対応することに同意すればよい。

「想定潮流の合理化」や「Nマイナス1基準」に加え「ノンファーム型接続」を総合して、欧米のような電力の完全自由化は実現していなくても送電線を柔軟に運用する新しい方法は、「日本版コネクト（接続）&マネージ（管理）」と呼ばれるようになった。

図3-4　出力制御のイメージ

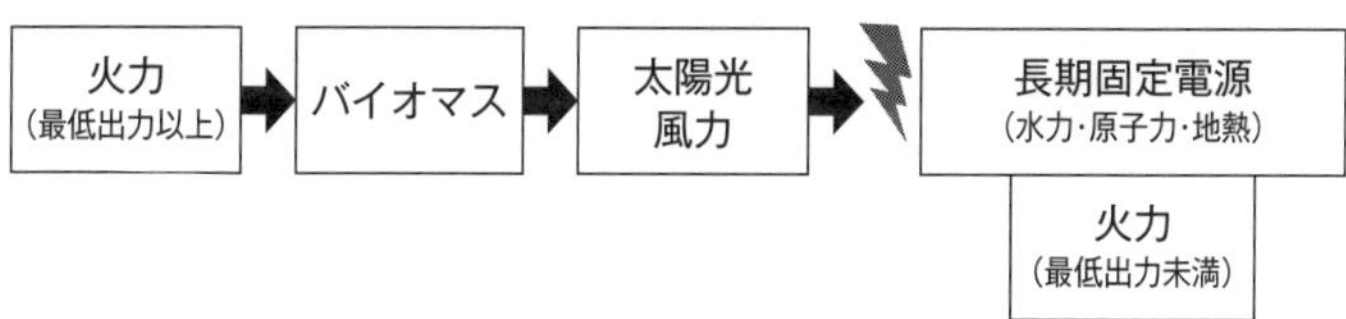

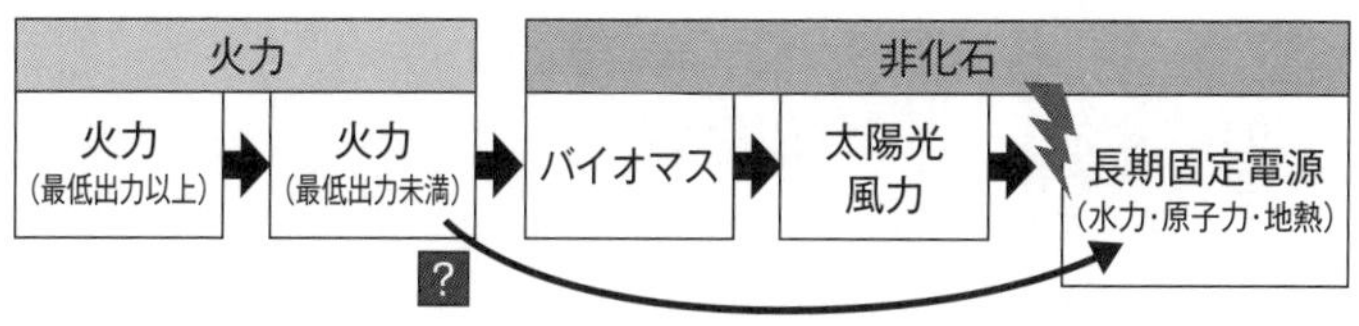

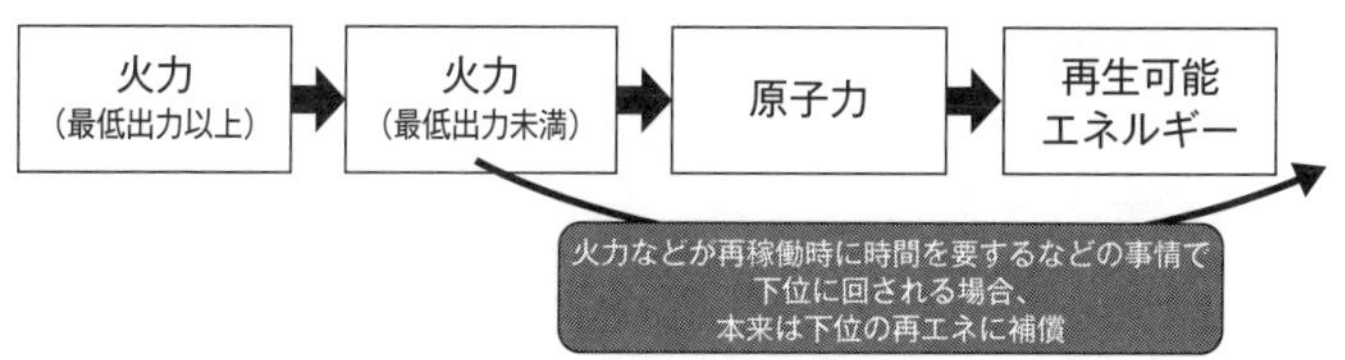

出典：「再生可能エネルギー等に関する規制等の総点検タスクホース」第３回委員提出資料より

ただ注意点は、送電線で混雑の激しい時間帯と場所によっては出力制御が頻発される可能性があることだ。その場合、ノンファーム型再エネ電源が、通常契約の火力発電より先に出力制御をされてしまう。だから送電線の利用ルールはさらに詰める必要がある。本来、自由化された電力市場では、優先順位は価格で決まる。経済学用語でいえば限界費用（追加的な変動費、つまり追加で発電するためにかかるコストのこと）の安い電力を優先して供給する。これが「メリットオーダー」と呼ばれるルールで、世界の自由化市場では基本だ。ところが、日本の現行ルールは、そうなっていない。送電線の混雑時だけでなく、供給が需要を上回る場合も同様だが、従来からある火力発電や原子力発電の既得権が優先され、限界費用の低い再生可能エネルギー（太陽光や風力では限界費用はゼロ）が先に出力制御を受ける。市場メカニズムを歪めて、わざわざ価格の高い火力発電などを優先しているわけだ。これではコネクト&マネージで接続してもらえるとしても、やはり再エネ投資に二の足を踏むことになりかねない。

まずは「再エネを優先するルールにすべき」というより、「火力などの既得権を優先するのをやめて公平に（市場ルールどおりに）取り扱う」ことからスタートしなくてはならない。メリットオーダーが明確化されれば再生エネルギーへの投資が自ずと加速する。

第4章

農業・製造業を強くする太陽光・風力発電

440万ヘクタールの営農型太陽光発電というポテンシャル

再生エネルギーをどう増やしていくか。

大手電力が有利な状態で維持されている送配電の課題は、これまで述べたように少しずつ改善の兆しが見えてきた。

他に再生エネルギーの増産を抑制している要因は何か。

河野規制改革担当大臣のところにつくられた有識者会議「再生可能エネルギー等に関する規制等の総点検タスクフォース」では、太陽光パネルや風力発電塔を農地に立てる際に、それを阻害する規制について話し合われた。

現行では農地に太陽光パネル（あるいは風車）を設置する際に農地転用の許可を得なければならない。許可なしに農地に発電施設をつくれば「3年以下の懲役または300万円の罰金」という罪科に処せられる。

この規則は厳しすぎる。農業を営みながら太陽光パネルを設置できる方途はないのか。その有識者会議の成果として最近こういうニュースが報じられた。

「脱炭素社会の実現に向けて、耕作が行われていない荒れた農地に太陽光パネルを設置し、発電する際の要件が緩和されました。農林水産省は、農地の有効活用につなげたいとしています。農地に太陽光パネルを設置し、発電しながらその下で作物を育てる『営農型太陽光発電』の普及が期待されます。しかし、設置にあたって、太陽光パネルの支柱部分については農地の一時転用の許可が必要で、地域の平均と較べて8割以上の収穫量を保つことが要件となっていることから、耕作が行われていない荒れた農地では活用が難しいと指摘されていました。このため農林水産省は、荒れた農地を再生し、農地として適切に維持・管理するのであれば収穫量の要件を除くことを決め、先月、制度運用を見直しました」（ＮＨＫ２０２１年4月11日）

これまで農地での太陽光パネルの設置はなかなか認められていなかった。太陽光パネルが設置されていても、その下で実際にジャガイモやニンニクやキャベツなど野菜を植えたりできる。

ところが、その場合、農水省の要件では、8割以上の収穫量が求められた。もともと耕作放棄されていた農地で8割以上の達成は難しい。その要件が撤廃されたなら、農家は農業収入と発電収入の両方が入るので、人手不足のなかで経営を成り立たせやすい。その意味で8割要件の規制が取り払われたのなら素晴らしい成果である。

ところが、こうしたニュースは表面的な当局発表にもとづいたもので、役所の抵抗や既得権益側の壁は厚くなまやさしいものではないことが、説明されていない。しかし、ここを突破しないと2050カーボンニュートラルは実現しない。

ヨーロッパではデンマークでもドイツでも牧草地や野菜畑に大きな風車が立っている。農業が行われている場所で、風力発電や太陽光発電が行われているのである。

巨大な風車の土台にはコンクリートが打たれているし、太陽光パネルには支柱があるがそれは農地の一部分であり、営農には差し支えない。ところが日本では、そのコンクリートや支柱の部分があれば農地転用、つまり農地ではありません、という手続きをしないとならない。デンマークやドイツでは営農型が認められている。

担い手が不足していて農家は農業生産を維持していくことが難しいから、農地の一部を電力収入にあてることで持続可能な農業を模索したい、と真剣に考えている。肥沃な平地における稲作農家は太陽光パネルの設置にそれほど積極的ではないが、山間地などの農家は太陽光パネルで少しでも農業収入の足しにしようと本気で願っている。

ところが今回の8割要件の解除は、こうした耕作をしている農地、つまり優良農地には適用されない。見せかけの撤廃なのである。

過疎地の集落には耕作放棄地も少なくない。こうした耕作放棄地は10年も経てば、セイタカアワダチソウが生い茂り原野化するか、雑木林に変じて森林化してしまい、かつて農地であった面影すら消えてしまう。

耕作放棄地についての農水省の定義は一般にはわかりにくい。「過去1年以上、作物を栽培せず、しかもこの数年の間に再び耕作する考えのない土地」（農業センサスの定義）が耕作放棄地で、耕作の意思があっても何らかの理由で耕作を行っていない土地は「休耕地」とされる。その他に「遊休農地」という分類もあるが、いずれにしろ耕作が行われていないことには変わりない。無意味な呼称を幾つもつくったところで有効な手立てを講じていることにはならない。

有識者会議のメンバーである原英史（政策工房代表）に「NHKのニュースを見ましたよ。懸案の8割要件の規制がはずされたそうじゃないですか」と連絡すると、「いや、そうなのですが……」と壁が厚いという返事である。

農水省が認める8割要件の撤廃は、荒廃農地のうち「荒廃農地／再生可能」と「荒廃農地／再生困難」があり、そのうちの前者にあたる9万ヘクタールのみが対象となる。「荒廃農地」にあたるかどうかの判断は自治体が行っており、実際には耕作放棄されている農地の一部に過ぎない。後者の19万ヘクタールは農地の面影すらなく実質的に農地ではない。したがって太陽光発電を敷きつめてもかまわないが、それは農地でないと認めることになり固定資産税がかかるから農家にとってそれほどメリットがあるわけではない。

８割要件を緩和すべきは４４０万ヘクタールある優良農地だ。すでに荒廃が相当に進行してしまったわずか９万ヘクタールの「荒廃農地／再生可能」を対象にして営農型太陽光を導入しやすくしてもあまり意味がない。農業は高齢化が進展し経営が困難で担い手が不足しているから、その経営を助ける方法、つまり優良農地に営農型太陽光を入れられるようにしないと、耕作放棄地は増え続けるしかない。その危うい農地の経営者が太陽光パネルを設置することで一定の収入を維持し、余裕で農業を継続できるようにできればよい。むしろ農業を強くするために太陽光パネルの設置が必要なのだ。図４-１をご覧いただきたい。

「今回、『荒廃農地／再生可能』と『荒廃農地／再生困難』と合わせて28万ヘクタールには太陽光パネルの設置は認められましたが、仮に再生困難な19万ヘクタールをすべて利用すれば年間発電量は１３８３億キロワットhのポテンシャルがありますから、これは大きな前進です。残り４４０万ヘクタールには手がつきませんでした。太陽光パネルのために支柱を立てる（風車も同様）のは、農業用ハウスと呼ばれる温室の構造物をつくることと変わりないので、農地転用許可は要らないのではないかと提言した。ところが現行のルールでは支柱の部分は耕せないので転用許可は出せない、というのが農水省側の見解なのです。

農地に建てられたハウスは農業用施設ということで許可は不要になっている。農作物の販売設備や加工設備ならできる。農家レストランも3年ほど前に認められた。農業体験付きの宿泊施設はダメとされているので、農地ではないところに宿泊施設をつくっている。たしかに世の中には狡賢い業者もいるから対策は必要だが、それが過剰な規制になってしまっている。大局観がないからそうなる。『農業ではなく、太陽光や観光で稼ぐのは許せない』という対立構図でとらえてしまう。結果として、農業を強くする手立てを奪っているのです」（原英史談）

これまでに農地に太陽光パネルを設置した実績は約1万ヘクタールしかなく、「営農型発電設備」の下部農地面積の実績は５００ヘクタール強とほんのわずかである。

図4-1　耕地と耕作放棄面積

出典：「再生可能エネルギー等に関する規制等の総点検タスクフォース」第２回委員提出資料

　農業保護政策として、農地を農地以外の目的として転用することを禁じたのが農地法だが、むしろ人手不足で衰退する農業を守るために農家の収入を確保できるような仕組みを考えなければいけない。そのために農業収入と太陽光パネルによる複数の収入源があったほうがよい。

また外国資本の発電業者によって山林が乱開発される事態を防ぐためにも、それなりの規模の資源としての農地が存在するのだから、管理ができる太陽光パネルを積極的に設置すべきだろう。

日本には大陸のような広大な土地がないから太陽光発電に限界がある、とする固定観念は錯覚にもとづいている。440万ヘクタールの農地のなかに営農型太陽光発電という大きなポテンシャルを持っているのである。

目を見張る世界の風力発電の発展スピード

日本の再生エネルギーでは太陽光発電が全電源に占める比率は6・7パーセントであり、太陽光発電は、まあそこそこには成長してきたといえる。だが風力は世界の趨勢から完全に取り残されてしまった。

第2章で記したEVの生産台数で日本が出遅れてしまったように、風力でも出遅れてしまった。2030年までにその遅れをどう取り戻すか、日本の命運は電源開発としての風力発電だけでなく、製造業としての風力発電にかかっている。

トヨタ自動車を筆頭に日本の自動車産業は55兆円の産業規模と部品などサプライチェーンの裾野が拡がり６００万人近い雇用も維持してきた。しかし、ＥＶの時代へと転換を迫られると内燃機関で必要とされた部品数も激減し、ソフトウエアの比重が高まり製造業としての規模は縮小せざるを得ない。

風車は、製造業として衰退へ転じる内燃機関に比重を置きすぎた自動車産業の代わりとなる可能性が残されている。日本人が考える風車は、せいぜい高さが30メートルとか50メートル、しかも陸上風車だろう。だがいまイギリスやデンマークの北海沖合に無数に並び立つ風車は、東京タワーに近い高さで、長さ２００メートルもの大きな三枚の羽がぐるぐると回るＳＦ的光景なのである。風車は部品数が多く大型化しており、設置工事も大がかりになっている。

日本の風力発電が遅れた原因のひとつは、前章で述べたように１９９９年に地域独占の北海道電力が15万キロワットの上限を設けて、送電線（系統）への新電力の接続を拒否した出来事がマイナス要因となった。その後、東京電力など他の地域独占会社も送電線への接続費用を要求する風潮へとつながったからである。

本来なら四方を海に囲まれ広大な海域をもち、製造業の実力がある日本こそが風力発電

図4-2 イギリスとドイツの洋上風力発電の導入量(2010~2019年)

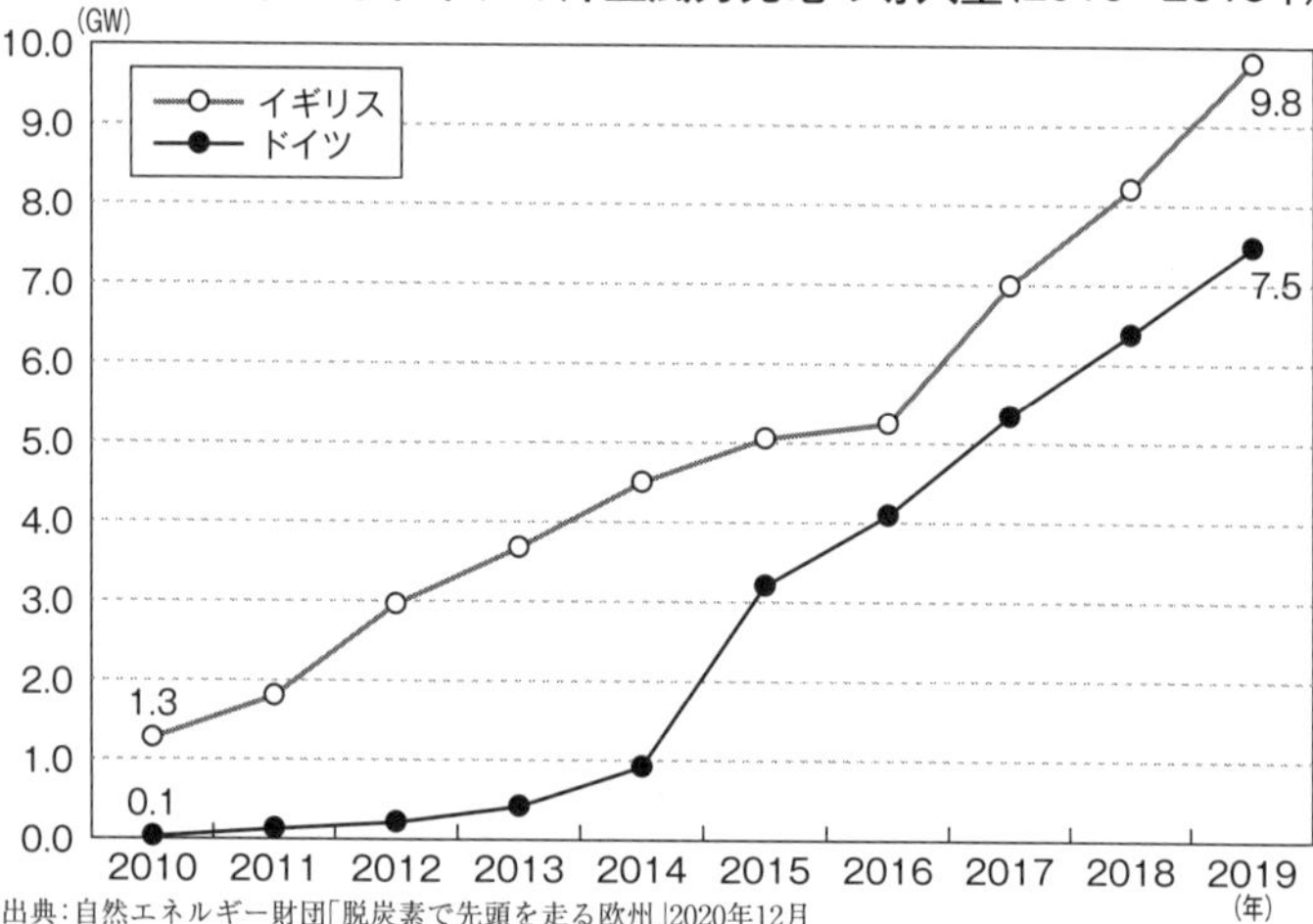

出典:自然エネルギー財団「脱炭素で先頭を走る欧州」2020年12月

で世界をリードしていなければならないはずだった。日本には洋上風力発電の資源はほとんど無尽蔵で、年間に9兆キロワットh(日本全体の電力消費量の約10倍)を超えるポテンシャルがある。だが足下にある宝に気づかず、中途半端な電力自由化と「原子力一本足打法」、そして石炭火力に頼りすぎた日本がもたもたしているうち、各国は発電の電源としてだけでなく製造業への産業政策として風車に取り組んでいたのである。

ここ最近の世界の洋上風力発電の発展スピードは目を見張るものがある。

まずイギリス、2019年末現在でほぼ1000万キロワットを達成している。2030年の導入目標を3000万キロワットから4000万キロワットに引き上げるほど自信を深めている。イギリスの電力生産の３分の１が風力によってまかなわれるのだ。ドイツは同じく２０１９年末でほぼ８００万キロワットを達成している。ドイツは２０１４年時点で１００万キロワットにすぎなかったが5年間で8倍に増えた。デンマークとベルギーはそれぞれ１７０万キロワット、オランダは１００万キロワットを達成している。

日本は急追するつもりだが成長戦略会議（「２０５０年カーボンニュートラルに伴うグリーン成長戦略」２０２1年6月）に提出された２０３０年の風力発電の目標値は１０００万キロワットにすぎない。イギリスに較ぶべくもない。それでも背伸びしたつもりでいるのは、現在の実績（２０１９年実績）は残念ながら陸上とあわせても４４０万キロワットでしかないから。

そもそも２０１０年の実績では２５０万キロワットあり、当時のヨーロッパ勢と較べて遜色はなかったのにその後の伸びが鈍化していた。好機を見逃していたのである。

電力自由化が遅れ、再生エネルギーが送電線へ接続できない状態、すでに説明したコネクト&マネージの運用がなされないことで再生エネルギーへの意欲的投資が萎んでしまっていたことが原因である。ほとんどの先進国では送配電事業と電力事業が分離されている。そうでない日本は少数派で、独占的な9電力体制が続いてきた。

逆に電力自由化によりヨーロッパの2010年代は再生エネルギーへの活発な投資が続いた。そして急速に発電量を増やすことができたのは、洋上風力の開発と系統への接続が成功したからであった。

日本は小型の陸上風力が中心だった。440万キロワットのうち洋上風力は2万キロワットしかない。日本が洋上風力へシフトしようとしていた矢先、大きな躓きに見舞われる。

ヨーロッパと較べて日本の洋上風力資源は決して劣るわけではない。ただ遠浅の海が少ないため海底に直接杭を打ち込む着床式の適地はそれほど多くない。イギリスはブリテン島の横に水深の浅い北海があり、着床式の風車が無数に連なるように建設されている。着床式は工費が安いだけでなく工法も易しい。それに較べて日本列島周辺は水深の深い海が多い。したがって着床式が不可能な場所では浮体式にチャレンジするしかない。

浮体式は、風車を数十メートル角のコンクリートや鋼鉄製の浮体に乗せて設置し、浮体が漂流しないよう係留ロープで海底につなぎとめる。100メートルもの高さの風車を浮体の上に乗せ固定させ、しかもそのうえで強風を受け止めるのだから、かなり高度な技術レベルが求められる。

日本の高度な技術力があれば、こうした水深の課題を乗り越えて世界でも有数なポテンシャルがある日本列島周辺の風力資源を活用できるのではないか。そう期待したいところだが、残念な結果をここで記さなければならないのはまことに辛いものがある。

新聞の片隅にこんな記事が載った。

「福島の洋上風力発電、全撤退へ６００億投じ採算見込めず」（２０２０年12月12日、共同通信）

「政府が、福島県沖に設置した浮体式洋上風力発電施設をすべて撤去する方針を固めたことが12日、関係者への取材でわかった。東京電力福島第一原発事故からの復興の象徴と位置付けて計約６００億円を投じた事業で、民間への譲渡を模索していたが、採算が見込めないと判断した。経済産業省は、来年度予算の概算要求に撤去関連費50億円を盛り込んだ。再生可能エネルギー関連の産業を推進する福島県にも痛手となりそうだ。浮体式洋上風力発電施設は２０１２年から、原発事故で一時全町避難となった楢葉町の沖合約20キロに３基を順次設置した。最大の１基は今年6月、不採算を理由に撤去済み」

６５０億円の無駄がどうしても気になるので調べてみた。

そして「福島沖での浮体式洋上風力システム実証研究事業・総括委員会報告書」（２０１８年8月）を見つけた。すでに２０１８年にこれら３基の浮体式洋上風力発電施設の廃棄は決まっていた。この記事はあくまで「廃棄のための予算50億円」が計上されたという記事なのである。

「福島沖での浮体式洋上風力システム実証研究事業：総括委員会報告書」の要点を記すと、2MW型（日立製作所）5MW（日立製作所）7MW（三菱重工）の3種類があり（※1MWは1000キロワット）、それぞれ問題があったが特に大きな問題が発生したのは7MW型（ローター直径167メートルと巨大）であった。前2者はメンテナンスなど維持管理費用に難があり、後者は設備不具合つまり設計・製造に難あり、であった。

この第三者的な検証委員会は撤去費用の検討まで踏み込んだ。その結果、経産省が敗戦処理の予算化に手間取ることになる。そして50億円の撤去費用がようやく翌年度の概算要求に盛り込まれたのであった。

報告書によると、日立製作所の2MW型、つまり2000キロワットの風車は陸上において実績のある量産化された商用機で、ローター直径は80メートル、ハブ高さは66メートルである。この2MW型は最初につくられた浮体式で実証実験としては4年8カ月の期間、大きな難点は生じていない。

ただ設置場所が沖合20キロメートルと遠方で、波の高さ平均が1・41メートルと気象条件が厳しく、点検作業員が浮体へ乗り移ることができる乗り移り率が70パーセントなどの要因によって維持管理費が割高になるなど、実証実験で判明したことも、報告書には記載されている。

２基目の実証機である日立製作所の５ＭＷ（５０００キロワット）の風車はローター直径１２６メートル、ハブ高さ86メートル。これも陸上機を浮体に乗せたもので同じタイプの風車が1基、茨城県神栖市の陸上で動いている。

２ＭＷ型より大きいのだが、揺れを制御できるシステム「ネガティブダンピング」を採用したところが実証実験のテーマであった。浮体動揺の発散抑制の装置ということだが、評価は「完成度は発展途上である」だった。

総じて日立製作所の2基については、総括委員会の報告書はそれほど厳しいものではなかったが、３基目の三菱重工製の７ＭＷ型については欠陥品であることを隠さなかった。風車のローター直径１６７メートル、ハブ高さ１０５メートル、１基で７０００キロワットも発電するのだからそれなりに巨大である。

「この風力発電システムに搭載される世界初の革新的なデジタル可変容量制御による油圧式ドライブトレインは、従来のギア式ドライブトレインで想定される大型化にともなうさまざまな課題を解決するとともに、大型化が進む次世代風車への適用が期待される画期的技術として開発された」という野心的なうたい文句があった。

しかし、実際には福島沖に設置直後から、風車と浮体の双方の初期不具合により稼働率が低迷した。油圧作動の部分での不具合は、構成する部品の磨耗が激しく、単に部品交換ではすまずに設計の変更も余儀なくされた。その他、バルブや油圧ホースにも不具合が生じた。結局、連続運転の実現に到達せず、研究・開発段階を脱していないばかりか見通しは不明、と手厳しい評価が下された。

しかも、「今後、高額な維持管理費が見込まれるためそれを売電収入で賄うこともできないので、実証機による商用運転は不可能、早急に発電を停止し、撤去の準備を進めるべきである」と、はっきりと全面否定されている。

三菱重工の風力発電は、この失敗で再起不能の烙印を押されたも同然であった。

天下の三菱重工がおかしくなっている

あえて少し横道に逸れる。

かつて零戦で勇名を馳せた天下の三菱重工がおかしくなっているとしか思えない。

２００８年、国産のジェット旅客機・「三菱スペースジェット」をつくるとの発表に夢をふくらませた日本人は多かったと思う。

「航空機生産は官民にとって長年の悲願。基幹産業の一翼を担っていきたい」

三菱重工の佃和夫社長（当時）は、中型のジェット旅客機の事業化を決めた際の記者会見でこう強調した。失敗すれば数千億円規模の損失になりかねない、とも話し、強い決意と覚悟を示していた。

戦争に負けた日本は、占領軍に航空主権を奪われた。サンフランシスコ講和条約の発効で主権を回復して以降も、日米安保体制の下にあってアメリカは実質的に日本に航空主権を与えなかった。かつての敵国に対する警戒を解かなかったのである。ボーイング機の製造など関連部品の製作などへは三菱重工をはじめ航空機関連メーカーに発注はあったが、部品供給やライセンス生産の域を出なかった。

戦後初の国産プロペラ旅客機ＹＳ11がつくられた際には、戦前の航空技術者らがロマンを求めて結集した経緯もあった。そのＹＳ11以来の悲願が三菱ＭＲＪだった。だが１兆円規模にのぼる開発費をつぎ込みながら、２０２０年３月に凍結、国産ジェット旅客機の夢は、突然、しゃぼん玉が割れるように終わったのである。

なぜ三菱重工は失敗したのか。日経新聞の杉本貴司編集委員は、巨大プロジェクトの三菱ジェットが失敗し、小型のホンダジェットが成功した、その明暗を一点に絞って解説している。

小型のホンダジェットはプロジェクトの規模が小さいとはいえ、30年間、開発リーダーを変えなかった。

「翻って三菱重工はどうか。08年に開発が始まってから約10年で、三菱航空機の社長を５人もすげ替えてきた。迷走が顕著となってきたのは、15年に4代目社長として森本浩通氏が就任した頃からだろう。森本氏は火力発電プラントの海外営業が長い。直前も米国法人の社長としてニューヨークに駐在していた。つまり全くの門外漢だ」（２０２０年10月30日、日経産業新聞）

さらにカナダ・ボンバルディア出身者が開発のトップに任命されるなど、人事の迷走はこのあともつづく。もうこれ以上の説明は要らないだろう。

こうした人事によって無責任体制がつくられるのである。日本では創業社長はおもしろい人物が多いが、サラリーマン社長が内部から就任すると官庁の人事のように思想がなく内向きでトコロテン方式に代わっていく。そして社内政治が蔓延る。

ＥＶの項では、三菱重工ではなく三菱自動車工業が開発した三菱・ｉ－ＭｉＥＶ（アイ・ミーブ）の不格好でしかも航続距離も短い中途半端な設計について僕は触れた。あれも技術者にきちんと任せればよかったのに、たぶん社内政治によって歪められた産物だったに違いない。

それにしても、と思う。三菱重工には悪いニュースが多すぎる。２０１７年にはドイツから受注した豪華客船の製造でも納期が遅れ、２５００億円もの特別損失を計上している。三菱重工業の客船建造は、事業をやめるかどうかの瀬戸際に追い込まれている。だが日本で豪華客船をつくれるのは三菱重工だけだ。明治20年に1隻目を完成させて以来、１３０年近くで約１００隻をつくってきた伝統が揺らいでいる。

かたや零戦の伝統があり、かたや長崎造船所では戦艦大和と双子の戦艦武蔵を建造した歴史もあるのだ。

同じ三菱グループの日本郵船から「飛鳥Ⅱ」の後継船の依頼があり、見積書を出したらあまりにも高い。日本郵船は、結局、ドイツの造船会社へ発注した。

話を戻そう。

三菱重工は、結局、洋上風力の製造から撤退した。

「三菱重工業が洋上風力発電の『自前路線』を転換する。風力発電設備の世界最大手ヴェスタス（デンマーク）と運営していた製造販売の折半出資会社を解消して自前開発からは事実上撤退し、代わりに日本市場を中心とした販売会社を設立する。これから伸びるアジアでの販売に特化する戦略だが、開発はヴェスタスに委ねる体制となる」（２０２０年11月13日、日本経済新聞）

これではまるで敵前逃亡と非難されても仕方がない。

将来にわたり巨大市場として成長する製造業、裾野が大きい世界の風車製造産業から日本の重工メーカーが撤退し、ただの販売代理店に格下げになるニュースは残念というしかない。

風車産業は、デンマークのヴェスタス、ドイツのシーメンス、アメリカのGEの三社の独占体制がつくられている。シーメンスの風車部門はスペインの風車会社と合併してシーメンス・ガメサ社と名乗っている。2019年末時点でシーメンス・ガメサのヨーロッパの累積導入量のシェアはじつに7割に迫ろうとしている。

シーメンス・ガメサに次ぐ実績を挙げているのはデンマークのヴェスタスで、三菱重工はその販売代理店として日本の風力発電を担っていくことになった。

風車製造の三番手はアメリカのGEである。ヨーロッパのシェアは4パーセント台と出遅れているが、これから成長が期待される日本市場に食指を伸ばすべく動きはじめた。

そのGEは提携先として東芝を選んだとの情報が最近、明らかにされた。

「東芝とGEは国内の洋上風力発電事業で提携すると正式に合意した。基幹設備の共同生産に加え、供給網の構築や設備の保守・運用、営業活動なども共同で手がける。世界の洋上風力市場は欧州、中国勢が席巻し、日本企業は風力発電機の生産から撤退している。両社は今後立ち上がる国内市場で先行し、巻き返しを狙う」（日経2021年5月10日付）

ここに書いてあるように、日本企業はヨーロッパで出遅れたＧＥと組んで巻き返しを狙うしかない。すでに三菱重工は戦意を喪失しているし、日立製作所も福島沖での浮体式の実証実験では必ずしも成功していない。残る重電企業は東芝しかいない。

「両社は水力発電の水車などを製造する東芝子会社の京浜事業所（横浜市）を基幹工場として活用する。風車の駆動部分である『ナセル』を共同生産するほか、制御システムや主軸、増速機など関連部品も共同で主に日本企業から調達する。洋上風力発電機の設置後には保守・運用も請け負う。故障時の修理やメンテナンスのほか、発電量が不安定な再生可能エネルギーを安定供給できる送配電技術・サービスなども提供する。両社が出資し、保守・運用を手がける新会社の立ち上げも検討する」（同記事）

ＧＥは、日本市場での事業展開を見据え、台風にも耐えられる性能を持つ大型洋上風力の国際認証を他社に先駆けて取得していた。

洋上風力の大量導入で日本の製造業は活性化！

昨年末の「成長戦略会議」では、風力発電を明確に国策として以下のように位置付けているのにである。

「魅力的な国内市場の創出に政府としてコミットすることで、国内外からの投資の呼び水とするため、政府として導入目標（電気事業者による再生可能エネルギー電気の調達に関する特別措置法に基づく認定量）を明示する。具体的には、2030年までに1000万キロワット、2040年までに浮体式を含む3000万キロワット～4500万キロワットの案件を形成する」

ぼんやり読むと、そうかそうかとなるが、立ち止まって考えると凄いことを宣言している。4500万キロワットというのは、原発45基分である。いま原発は10基動いており、動いていないものを足し合わせて53基ある。原発がすべて稼働中の状態は理論的にあり得ないので、いまある原発を風力に置き換えてしまう、それぐらいの大計画である。

しかし、そのために用意される基金は2兆円、さらにメガバンクの環境融資目標30兆円とされているが、それ以上の詳細は詰められていない。アメリカのバイデン大統領は、2兆ドル（200兆円）のグリーンファンドを積むと宣言していることに較べれば一桁少ない。日銀は7月16日の金融政策決定会合で気候変動対応の新制度として環境対応の投融資を手がける金融機関に金利0パーセントの円資金を供給すると決めたが、どの程度の実効性があるかは不明だ。

成長戦略会議では、この風力の大計画は「第一に、競争力があり強靱なサプライチェーンの形成に向けて、産業界は、我が国におけるライフタイム全体での国内調達比率を２０４０年までに60パーセントにすること、着床式の発電コストを、２０３０～２０３５年までに、８～９円／キロワットhにすること、という２つの目標を設定し、実現に向けた取組を進める」とされている。

洋上風力のタービンは数万点に及ぶ部品によってつくられており、基礎の製造、風車の組み立てを含めて強固なサプライチェーンの構築が不可欠である。しかし、三菱重工も日立製作所も風車製造から手を引き、やや門外漢の東芝がＧＥと組むといっても実質的に下請けだし、肝心の中心となる国内プレイヤーの力不足は否めない。自動車産業のような裾野をもつ風車製造のサプライチェーンのうち６割ぐらいが日本メーカーであれば、地方の景況感も違ってくるだろう。

だが三菱重工や日立製作所が撤退して、日本が海外メーカーの部品供給会社に甘んじるのであれば、そこで得られる利益の大半を持っていかれてしまう。アップルのスマートフォンに部品を供給する役割と同じように。そもそも、火力発電から再生エネルギーにシフトすることは年間17兆円にものぼる化石燃料輸入費用として国外へと流出する資本を国内に循環させる意味もあるのに、肝心の製造業がこのありさまでは困ったものなのだ。

いずれにしろ風車はどんどん大きくなっている。ＧＥがニューヨーク州の沖合で建設中の世界最大の風車は1基で1万2000キロワットの発電能力を備えている。

洋上風力が大量導入されることで日本の製造業へ与える影響は大きい。風車は部品数が多く大型化しており、設置工事も大がかりなため、現地調達ができる日本のメーカーは輸送コストの削減など地の利を生かすしかない。発電事業者や風車メーカーにとっても、コスト低減のインセンティブとして現地にサプライチェーンが構築されるように求めるだろう。風車の部品や基礎の組み立ての拠点造りのため港湾の整備も必要になり、拠点港の発展にともなう地域産業の活性化も期待される。

風車の建造、部品供給、港湾の整備など、おいしいところを欧州勢に持っていかれないように、そして消費者が安い電気を購入できることを、真剣に考えなければいけない。三菱重工、日立製作所、東芝など日本の従来型の大手の重電には瑕疵が目立つが、新規参入組に期待できないことはない。むしろ新しい挑戦的な企業のほうが可能性は高い。

たとえば2000年に環境・エネルギー分野の調査・コンサル事業で起業したレノバは、2012年に再生エネルギー分野へ進出し、太陽光、バイオマス、風力発電を手がけ、すでに建設中案件を含め900万キロワットの発電実績をあげている。急成長のレノバの株式時価総額は3700億円までふくらみ、地域独占の北海道電力や四国電力を抜いた。その勢いで日本海の秋田沖で国内最大級の洋上風力発電に挑んでいる。

レノバのような新興勢力もあれば、丸紅・大林組・関西電力がコンソーシアムを組み秋田洋上風力発電を発足させるなど、日本の豊富な風力資源の開発にターゲットを絞る既存勢力もある。

こうした企業が海洋国家日本のどの区域に進出したらよいか、「促進区域」が指定されて事業者を公募入札で選定する手続きが定められている。そのガイドラインは「海洋再生可能エネルギー発電設備の整備に係る海域の利用の促進に関する法律（再エネ海域利用法）」にもとづいて２０１９年につくられた（経済産業省資源エネルギー庁・国土交通省港湾局）。

促進地域の指定段階は、経産大臣と国交大臣が区域の状況を判断、漁業関係者との調整では農水大臣、その他地元市町村など協議会があり、ややこしいので省略するが「促進区域指定」が決まると公募によって事業者が選定される。

事業者は、環境影響評価、いわゆる環境アセスメントの手続きに入る。２０１９年７月には「一定の準備が進んでいる区域」として11区域、そのうち４区域を「有望な区域」として公表された。

この４区域のうち長崎県五島市沖（五島列島沖）は２０１９年に促進区域に指定され、２０２０年６月より公募が開始された。残りの３区域（秋田２区域、千葉・銚子沖１区域）も促進区域に指定され、11月に公募が始まっている。その他、「一定の準備が進んでいる区域」が10区域、全部で14区域で環境アセスが進行している。東芝と組んだGEは、秋田県沖と千葉県沖の公募で半分以上の受注を狙っているようだ。

日本の海を外資系に荒らされないために

この環境アセスの進行状態から、今後の風力発電設備の規模（発電量）を推計することができる（自然エネルギー財団2030年エネルギーミックスへの提案、2020年8月）。「2030年度までの導入量を規定する重要な要素の1つは、環境アセスメントである。10MW以上の風力発電設備の建設は、環境アセスメントの実施が義務付けられている。このプロセスには数年かかるため、計画から建設期間を含めて、運転開始までに5～10年程度かかると予想される。したがって、現在アセスメント手続きにあるかどうかが、2030年度の導入可能性を推定するうえで重要になる。

環境アセスメントの手続きには、配慮書、方法書、準備書、評価書の4段階がある。一般的に、準備書手続き、方法書手続きに入っているものは、アセスメントのための調査を実施中あるいは実施済みのプロセスのものであり、事業実現の可能性は高い。他方で、配慮書手続き中のものは、事業計画の初期段階で、環境保全のための配慮事項を検討中であ

図4-3-1 風力発電の環境アセスメントの手続き中の設備容量

	配慮書	方法書	準備書	評価書
設備容量（GW）	15.0	13.0	4.7	2,9

図4-3-2 2030年度までの風力発電の導入可能設備容量（GW）

	2019年度	2030年度 転換促進ケース
陸上	4.3	19.2
着床	0.0	10.0
浮体	0.0	0.1
合計	4.4	29.3

出典：自然エネルギー財団「2030年エネルギーミックスへの提案（第1版）」2020年8月

り、事業規模などもアセスメント手続きの中で固めていくので、中止や計画変更がありうる。２０１９年度末で各段階のものが図４−３の通りであり、合計で約36ＧＷある。そのうち、方法書以降のものは、20・６ＧＷある。……配慮書段階のものは、２０３０年度までの40パーセントが運転開始するものとみなした。合計で２０３０年度までに29ＧＷが導入されることを見込むことができる」

環境アセスメントの進捗段階から、２０３０年までに成長戦略会議の想定した１０００万キロワットどころか29ＧＷ、すなわち２９００万キロワット以上の風力発電が達成可能との結論が導き出せる。

参考までに付け加えるとＥＵは２０２０

年11月に、洋上風力発電の導入量を拡大する戦略を発表した。２０３０年時点で60ＧＷ以上に、さらに２０５０年までに３００ＧＷに拡大する。そのために加盟国に対して新たな導入場所や送配電ネットワークについて長期計画の策定についてのガイダンスを提供する予定である。日本の化石燃料の輸入額は17兆円にもなるが、ＥＵも30兆円にのぼる。ロシアへの天然ガスの依存は安全保障上の問題もあり、脱炭素は地政学的立場をも好転させることにもつながる。

日本における風力発電は送配電の課題があった。地域独占電力の送配電会社の送電線との接続を「系統接続」と呼ぶが、すでにこれまで述べてきたように空き容量を隠す慣習が、いまは広域機構によってその監視ができるようになったため、再生エネルギーにとってネックであった送電網は、かなりの程度が利用可能になっている。

風力発電は、強い風の吹く人里離れた場所に大規模に建設される傾向にあるため、発電所の計画場所に給電可能な、空き容量がある送電網があるかどうかが重要なカギになる。

自然エネルギー財団の調査によると、風力発電会社が「促進地域」からの送電を想定して送配電会社への接続の申し込みをしているはずで、それがどのくらい契約されているかをチェックすることで、発電所設置計画が地に足がついた実現可能性のあるものかどうかを以下のように確認できたとしている。

図4-4　風力発電の環境アセスメントの状況と系統連系申込状況

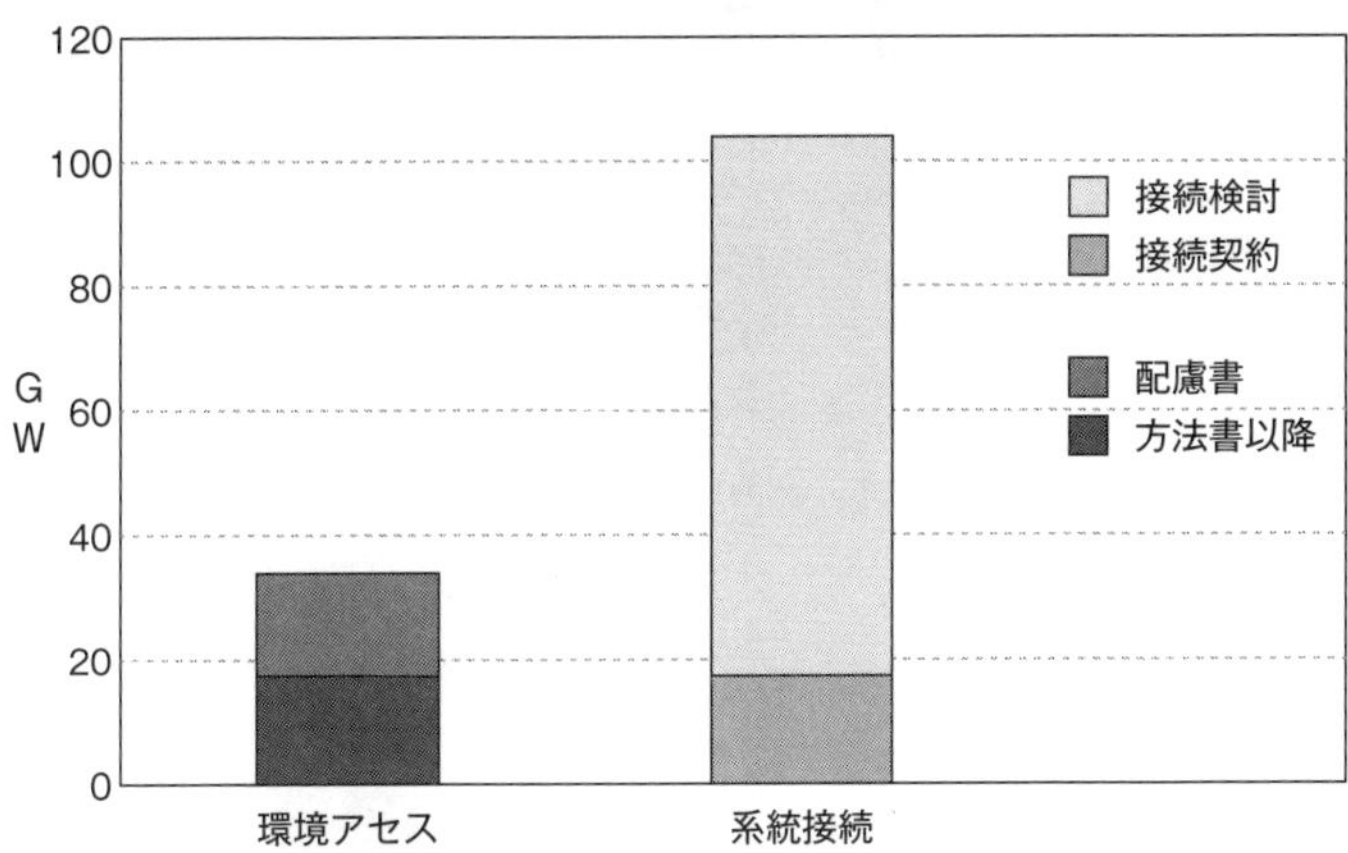

出典：環境省 環境影響評価情報支援ネットワーク（http://assess.env.go.jp/）
各一般設送配電事業者の接続・申込状況ページより自然エネルギー財団集計

「送電線の空き容量の情報等をもとに、事業者は接続検討申込を行い、検討の結果、空き容量がある場合に、接続契約申込を行う。したがって、すでに接続契約申込をしている案件については、系統接続費用も含めて事業実現の可能性が高いとみてよい。接続検討申込済の段階では、接続可能かどうかについては未定の段階であるため、不確実性が高い。そこで、一般送配電事業者（９電力）のウェブサイトで公開されている系統連系申込情報をもとに、系統エリア別に系統連系申込情報を前項のアセスメント実施状況と合わせて集計すると図４-４の通りになる。

　接続契約申込済と接続検討申込済の合計は約１０７ＧＷ（１億７００万キロワット）であり、環境アセスメント実施中の36ＧＷ（３

600万キロワット）の約3倍ある。そのうち、接続契約申込済のものは合計で約21GW（2100万キロワット）ある（環境アセス実施中で方法書段階以降の量に相当）。また、接続検討申込段階のものは85GW（8500万キロワット）もある（環境アセス実施中で配慮書段階のものの約6倍に相当）」

風力発電は環境アセスも、送配電網への接続申込も順調に進んでいる。あとは成長戦略会議で述べている「国内調達比率を2040年までに60パーセントにする」ことができるかどうか、それができなければ日本の海は外資系に荒らされてしまう。

重要で安定的な電源・揚水発電

自然再生エネルギーは水力発電を除けば、太陽光、風力の順に普及している。しかし発電規模の面ではそうだが、太陽光は昼間しか発電しない。雨や曇天の日も発電しない。稼働率は10数パーセントでしかない。風力はその2倍以上、稼働率は30パーセント近い。

電力は生鮮食料品のようにナマモノで保存能力に限界があるエネルギーであり、太陽光や風力で発電した電力を稼働していないときに使おうとすれば蓄電池か、現在はまだ充分な技術の達成に至らないが水素に転換して蓄えるほかはない。いっぽう水力発電や原発は

24時間。これが従来のエネルギー政策では安定供給ができるベースロード電源として重視されてきた。再エネの拡大に伴い「ベースロード重視」（低コストのベースロードをつねに動かす）という考え方は世界では過去の遺物になりつつあるが、とはいえ、いつでも（風の吹かない夜間でも）発電できる電源の必要性に変わりはない。

もうひとつ、重要で安定的な電源として忘れてはならないのは地熱発電である。地熱発電の稼働率はほとんど１００パーセントである。

その地熱発電について、いま新しい動きがあり、それについては次章で考察したい。

この第4章の終わりに、あまり知られていない揚水発電の存在について説明しておきたい。揚水発電は、電力を〝貯金〟して昼間のピーク時の需要をまかなうために考えられた方法である。

僕は３・11の福島原発事故の直後に、東京の電力不足を補う調査のため群馬県の水上温泉からさらに奥地へ入った新潟県境に近い標高１３００メートルの玉原高原を視察で訪れた。夏場の電力のピーク需要をまかなう切り札となる揚水発電がどんな仕組みでできているのか実地で見ながら勉強するためである。

揚水発電は３・11まで日陰の存在だった。「玉原（たんばら）発電所」は日本最大級の揚水発電施設のひとつであると知った。

図4-5　揚水式水力発電

出典：電気事業連合会

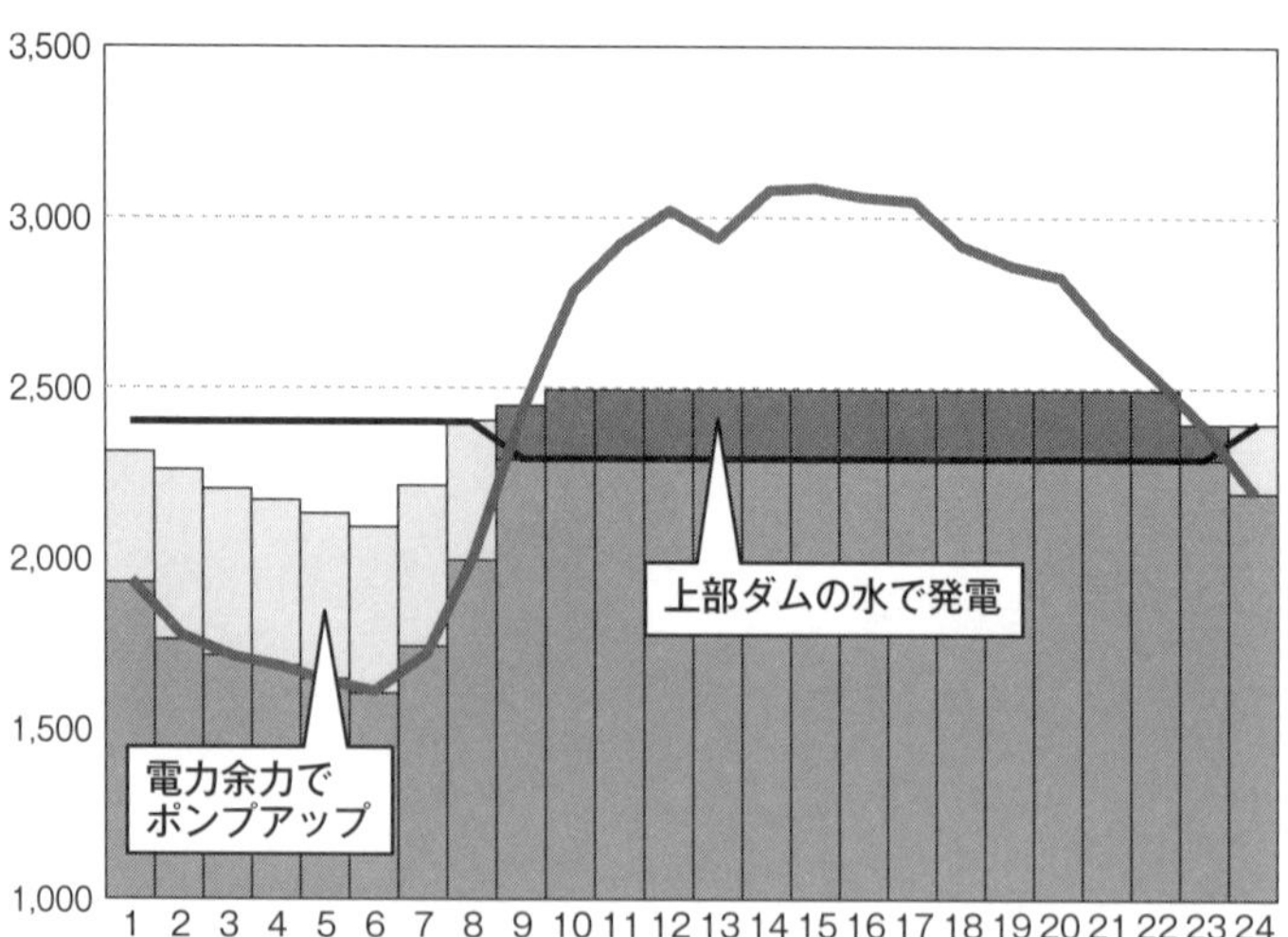

出典：内閣官房国家戦略室「需給検証委員会」第2回会合（2012年4月26日）

当時、すでに原発の3分の2が停止中で、夏のピーク時の供給力不足をどう乗り切るかが、最大の課題となっていた。震災直後に実施した計画停電はいったん終わった。しかし東京電力は6月9日、「原則不実施」としながら、夏の計画停電について発表した。ほんとうに計画停電を実施せずにこの夏を乗り切れるのか、東電の電力供給の見通しが小出しに増えていくから、国民は不安に思っていた。

玉原発電所という揚水発電所は、利根川水系の発知川（ほっちがわ）に位置する。玉原発電所は２つのダムから構成されている。１９５８年（昭和33年）にまず藤原ダムができた。

藤原ダム単体でも２万キロワットの発電能力があるが、１９８１年（昭和56年）に玉原ダムをつくることで最大出力約１２０万キロワットの揚水発電ができるようになった。短時間のピーク調整に特化するため落差と使用水量を非常に大きく確保してあるので最大出力が大きいのである。

具体的な構造としては、高低差のある2つのダムで発電所を挟み、上にある玉原ダム（総貯水量１４８０万立方メートル）から下にある藤原ダム（総貯水量５２４９万立方メートル）めがけて水を落として発電する。落差（有効落差）は５１８メートルもあり、これは世界最大級なのだそうだ。

それだけなら単なる水力発電だが、電力需要の少ない夜間の電気を使って藤原ダムの水をポンプで汲み上げて玉原ダムに「揚水」する。昼の電力需要が逼迫すると、その汲み上げた水を落下させる。ただし夜間の電力で揚水する際には、3割の電力ロスが生じる。揚水発電は、いわば電力を位置エネルギーとして蓄える巨大な蓄電池といえる。

事前に頭では構造を理解していたつもりだが、実際に現地で見てみると予想とは違う。2つのダムが連なっていると聞けば、普通は同じ方向に段々になっていると思う。しかし、玉原発電所では、あたかも玉原ダムと藤原ダムが逆向きに置かれているように見える。頭で考えるだけではつい錯覚しがちだが、実際に現地に行かないと、こういう位置関係はわからない。

僕は藤原ダムから延びる1・2キロメートルのトンネルを歩いて、藤原ダムと玉原ダムの中間に位置する発電所に足を踏み入れた。発電所では、落下する水がタービンを回して電力を生み、発電機から延びる太い送電管で変電所に送られる。変電所からさらに外部の送電線へと繋がれ、電力が供給されていく。いっぽう揚水する場合には、発電機がモーターになる。外部電源でモーターを回し、水を汲み上げていくのである。

現場ではタービンのことを「水車」と呼んでいた。周辺の5カ所のダムを合わせて、50人ほどの人員で運営している。

石原裕次郎主演の映画『黒部の太陽』で有名な黒部ダムができたのは1963年（昭和

38年）で発電能力は34万キロワットだった。ちなみに、黒部ダムは関西電力である。

日本人はみんな、水力発電といえば黒部ダムのイメージで止まっている。あれだけの難工事を経て完成した黒部ダムで34万キロワットしか発電できないのだから、原発の代替エネルギーとして水力発電に期待するのは難しいと、思考停止に陥りやすい。

もうひとつ思考停止になりやすいのが、電力は〝貯金〟できない、という常識だ。たしかにふつうは電力を貯めておくことはできない。蓄電池もあるが、コストがかかるので大容量の電力を蓄えるには現実的とはいえない。

しかし、揚水発電なら、３割ほどのロスはあるものの蓄電池に近い使い方ができる。電気使用量は１日のうちでも変動がある。使用量の少ない深夜電力をつかって昼間の電力不足を補うのが、揚水発電の基本的な考え方だ。しかも火力発電と違って、すぐに発電せよ、となっても水を落とせばよいだけなので出力調整がしやすい。

揚水発電は、高度成長期に高まる電力需要に対応するために導入され、以後、バブル経済崩壊まで続々と整備されてきた。火力発電では即応しにくいピーク需要に対応するために、揚水発電が活用されてきたのである。

従来から電力会社では揚水発電という形でピーク時の電力需要をまかなうためのリスク分散をしていたのである。それをわざわざ説明するつもりはないと思っていた、とくに原発が普及してからは、揚水発電が積極的に導入されたことも。原発は24時間絶えず発電をしているので、夜間には電力が余る。余った電力は棄てるしかないのだが、その余った夜の電力で、揚水発電として〝貯金〟をすることができる。

ところが、原発の稼働率が下がると、揚水発電のための電力は原発以外の手段で確保しなければならない。この当時は火力発電を使うしか方法はない。原発の余力ではなく、新たに火力発電を夜間に稼働させるのだから、エネルギー効率は悪くなる。しかし、ピーク対策時としてはやむをえない。ほんとうは地熱などのベースロード電源で補うことができたら理想的だろう。

計画停電が再び実施されるかどうかも、非原発系や非東電系など、まだフル稼働していない発電所をどこまで生かせるかにかかっていた。玉原発電所では、年間１５００時間、だいたい２００日間も発電しているが、１２０万キロワットの発電能力をフルに発揮していたわけではない。まだ〝貯金〟の余力はある。

ただし揚水発電所の能力として表示されている設備容量（キロワット）は、上部ダムが満水時に1時間で発電できる設計上の最大出力を示しているにすぎない。1時間で一気に水を落下させると１２０万キロワット発電するのは計算上の数値で、10時間にわたって落下させると常時12万キロワットの発電になる。上部ダムは満水状態とはかぎらないので実際の供給能力はこれよりさらに低い数値となる。

また夜間電力（原発や火力など）で揚水するとはかぎらない。真夏の電力需要のピーク時であっても太陽光発電の設備が増えたために余剰が生じることもあり、夕方の夕食時のピークのためにその余剰電力を揚水発電の揚水用として利用する仕方も生まれている。

ちなみに玉原ダムの工事費は２０００億円だった。第1章で紹介した「コンバインドサイクル発電」の川崎天然ガス発電所は、５００億円（1基あたり２５０億円で2基）で84万キロワットの発電能力だった。

1キロワットあたりの建設費はコンバインドサイクル発電の3倍近いが、蓄電機能のコストと考えることもできる。

３・11の東日本大震災と福島第一原発事故の影響で、夏のピークタイムが停電するかしないかが、依然として大きな課題となっていた。震災直後には、東電の供給力は４０００万キロワットと言われ、夏場の深刻な電力不足が懸念された。しかし夏場に近い6月の供給力の見込みは５６２０万キロワットにまで回復していた。東電管内での揚水発電の全発電能力は６５０万キロワットだ。夏場のピーク需要は６０００万キロワットだから、供給が追いついた。

もちろん、企業も家庭も節電しなければいけない。この時点で15パーセントの節電目標が設定されていた。節電だけでは夏場のピーク需要を乗り切れない。かりに15パーセント節電がうまくいかなかった場合には、供給力の〝へそくり〟として、揚水発電が大きな鍵を握っていたのである。

揚水発電所は全国に42カ所あり2500万キロワットの設備能力を有している。しかし、いざという際に使うためのシステムであるため設備利用率はわずか3パーセントにすぎない。もったいないじゃないか、とふつうの感覚なら思うだろう。送配電の項で述べたが「Nマイナス1」システムによって、電力の安全供給を維持するため送電線はまるまる半分が使われていない（つまり2倍つくっている）ことと同様に、バックアップのためのコストを充分にかけてきたのである。もちろん島国であるため他国から電力を融通してもらうことができないことも揚水発電を世界一にした理由でもあった。

電力会社は、総括原価方式と呼ばれる、かかった費用をすべて電気料金へ転化できる地域独占があたりまえでの時代、ある意味ではふんだんに安全コストをかけることができた。揚水発電所は、その〝遺構〟なのである。電力が地域独占だった時代は、いわば揚水発電は銀行の隠し口座のような存在だったが、いまはいざとなれば2500万キロワットある事実が、不安定できまぐれな太陽光発電や風力発電など再生エネルギーの時代にも大きな安全弁となることが期待される。

第5章

地熱発電というニューフロンティア

世界3位の地熱資源国なのになぜ？

玉原揚水発電所を見学した僕はその翌月、2011年7月初旬に伊豆諸島・八丈島にある東京電力管内唯一の地熱発電所を視察した。

この時点で日本には全国13カ所に地熱発電所が存在した（他に5カ所の自家用地熱発電所がある）。

北海道に1カ所（森）、東北に6カ所（澄川、松川、葛根田、上の岱、鬼首、柳津西山）、九州に5カ所（大岳、八丁原、滝上、大霧、山川）、そして東京電力管内には唯一、八丈島で地熱発電所が稼働していた。

八丈島は東京南方の海上約300キロメートルに位置する。160人乗りの航空機で羽田から定期便が1日3便出ており、また船便は毎日1往復、夜行で夜11時に出て朝9時過ぎに着く。僕は羽田から航空機に乗り、1時間弱で到着した。

総面積約70平方キロメートルの八丈島に、約8000人が住んでいる。南東部の三原山と、北西部の八丈富士という2つの火山があり、裾野が重なり合ったところが平地というひょうたんの形状の島だ。

島の経済は、農業の売り上げが20億円、漁業が10億円、観光が40億円である。歓楽街もあり、通称「親不孝通り」と呼ぶところがおもしろい。

農業では、オランダにも輸出している観葉植物のフェニックス・ロベレニーが有名だ。価格が2万円ほどで人の背丈ほどの小型の椰子の木を想像してもらおう。

八丈島は豊かな自然が魅力であり、都会から住み着く人もいる。たまたま行ったときに福島県から受け入れた30人ほどの避難者が八丈島で暮らしていた。

八丈富士は４００年前に噴火した休火山だ。三原山は10万年前に噴火したあと噴火していない。

この三原山の地下にある地熱エネルギーを生かすのが八丈島地熱発電所である。八丈島の空港から車で20～30分ほど行った三原山の南側に八丈島地熱発電所は位置している。

電気が八丈島に導入されたのは昭和２年（１９２７年）のことだ。それ以来、わずかな水力発電が主役だったが戦後になって火力発電が新たに加わった。

八丈島の地熱開発は、１９８９年に始まった。さまざまな調査や試験を経て、１９９８年に着工し、１９９９年３月から運転が始まっている。

地熱発電所は、温泉のような蒸気・熱水を地中から取り出し、その蒸気を使ってタービンを回している。使用した蒸気は、冷却して水に戻し、再び地中に返す。温泉と同じように、地熱発電所では硫黄の臭いがする。

八丈島地熱発電所では、深さ1650メートルから不透水層に閉じ込められマグマに熱せられた水を取り出し、毎時32トンの蒸気を使ってタービンを回すのだ。蒸気を分離した熱水および使用後の蒸気は、深さ100メートルの地中へと戻されている。

地熱発電の特色としては、地熱エネルギーは純国産のエネルギーであること、二酸化炭素をほとんど排出しないこと、などが挙げられる。また、地熱エネルギーは絶えず使うことができるから、地熱発電所は24時間安定的に電力を供給することが可能だ。

同じ再生可能エネルギーとして期待される太陽光発電や風力発電は、天候に左右されるため不安定である。東京のベース電力が原発であるのと同じように、八丈島では地熱発電がベース電力として使われている。

八丈島の電力供給を、地熱発電の3300キロワットではまかないきれない。地熱発電だけで、島全体で必要な最低電力需要（深夜）はカバーできる。この地熱発電をベースに、日中は火力発電（ディーゼル発電）と風力発電で補いながら、最大電力需要である1万1000キロワットに対応している。

2010年時点の日本の地熱発電は約54万キロワット（福島第一原発の1号機が46万キロワット）で、アメリカ、インドネシアに次ぐ世界3位の地熱資源国であるにもかかわらず

図5-1　上位10カ国の設備容量推移(kW)

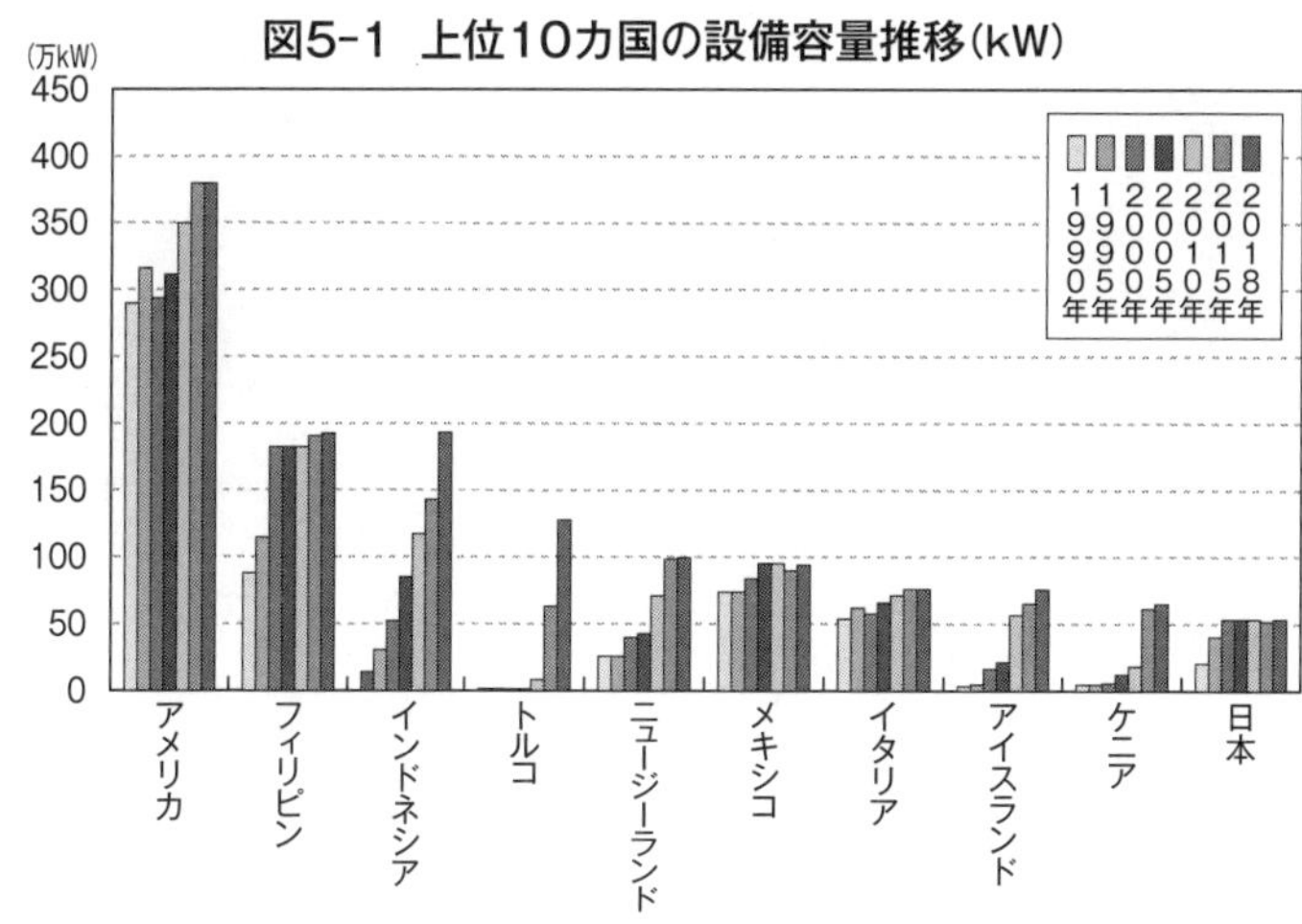

出典:新日本科学「メディポリス指宿における地熱発電の取り組み」

世界第８位であった。世界第１位はアメリカで３５０万キロワット、第２位はフィリピンで１８０万キロワット、第３位はインドネシアで１２０万キロワットの順である。

日本における地熱発電のポテンシャルは、自然公園特別保護地区を除いて約１５００万キロワット（原発15基分）である。地熱発電は、地産地消型の地熱発電所を各地につくればニーズがあり、将来的に伸びる可能性を持っているにもかかわらず低迷している。

世界の地熱用蒸気タービンでは、日本製が66パーセントと圧倒的なシェアを誇る。富士電機、三菱重工、東芝の国内３社で、世界シェアの３分の２を占めている。この日本の技術力を国内外で生かさない手はない。

ところが２０２０年時点での地熱発電は、

この30年間、ほとんど増えておらず60万キロワット足らずで第10位に後退している。

八丈島に地熱発電所ができたころ、日本は地熱発電の先進国であった。ところが各国の地熱発電の発電量の伸び率を表にしてみると、日本だけが右肩上がりではない。

2030年のエネルギーミックス（あるべき電源構成）では地熱発電に期待されている目標値は150万キロワットでしかない。日本の電力需要の1パーセントを担うのみである。どう考えても、やる気のない目標にしか見えない。実際にいまだに目標達成に必要な100万キロワットには遠く及ばないから、この控えめすぎる目標150万キロワットの達成すら危ぶまれているのだ。

地熱発電の実績や伸び率はこれまで記してきた太陽光、風力に較べて見劣りするし、水力やバイオマスにも負けている。太陽光は10年で10倍に増えた。しかし、海洋国家日本には膨大な風力発電資源があるように、火山列島日本の地熱発電資源量は、アメリカ、インドネシアに次ぎ世界第3位なのに遅れている。なぜなのか。

地熱発電研究の第一人者で江原幸雄・九州大学名誉教授（元日本地熱学会会長）によると、地熱発電は再生エネルギーのなかで最も設備利用率が高いベースロード電源なので、地熱の設備容量150万キロワットは太陽光の1000万キロワットに相当するという。

したがって2030年時点で地熱がもし1500万キロワット以上ならば、原発や石炭火力に代わり電源構成の10パーセント以上を担うことも可能になる。そういう期待される電源であるにもかかわらず、現状のまま何かテコ入れがなされないならば最低目標の150万キロワットさえ難しい。

地熱発電はこれまで二度、追い風が吹いた

歴史的にみると地熱発電はこれまで二度、追い風が吹いた時期があった。

最初は1960年代、高度経済成長のなか水力発電に依存するだけでは電源が不足するため大いに期待された。1960年代半ば、岩手県の松川地熱発電所（9500キロワット）、大分県の大岳地熱発電所（1・1万キロワット）がつくられた。

追い風はそしてオイルショック後にも吹いた。1970年代から80年代にかけて石油の代替エネルギーとして地熱発電が注目され各地につくられる。そして1996年には地熱発電の総出力が50万キロワットを超えて、世界第5位になった。

ところがその後、政府のエネルギー政策の軸足が原子力へと大きく傾いて、同じベースロード電源である地熱は競合するので冷遇され、また温泉組合から従来型の「蒸気フラッシュ発電」は「蒸気が減衰するので持続可能ではない」、つまり温泉が枯渇するではない

かと反対の声が挙がり、補助金対象からはずされてしまう。

地下深い地層に存在する地熱溜まり「地熱貯留槽」に閉じ込められた雨水等が高温高圧の閉鎖空間で天然ボイラーの役割を果たして熱水が蓄えられている。「蒸気フラッシュ発電」は、井戸（生産井）から噴き上がる蒸気を取り出しタービンを回して発電機を駆動するシンプルな発電方法である。

その後、「バイナリーサイクル発電」が開発された。天然の地熱貯留層を利用する点では変わりないが、発電用タービンを回す駆動媒体に沸点の低い「ペンタン」や「アンモニア水」を使う。地下から汲み出した蒸気をそのまま利用するのではなく、熱交換器を介して熱だけを低沸点媒体に移して、仕事を終えた蒸気はそのまま地下へと戻すので資源的にもやさしい方法である。

そして3・11の原発事故後の固定価格買取り制度（FIT制度）の導入で三度目の追い風が吹いたはずだった。

固定価格買取り制度（FIT制度）では、従来型の蒸気フラッシュ発電も対象となり、1万5000キロワット以上の設備は26円／キロワットh、1万5000キロワット未満は40円／キロワットhで15年間販売できることになった。設備投資費用を15年間の売電収入でまかなう見通しが立った。

優等生なのにあまりにも愛情がそそがれてこなかった地熱に、せっかくの追い風が吹いても、それほど実績が上向かないのには理由がある。

地熱発電にとって資源は、高温高圧の熱水がたまった地下深い地熱貯留層である。世界第３位の地熱資源国のはずが、日本の地下熱源は幅が狭くタテ長で小さい場所が多くて大規模な発電所がつくれないのだ。50万キロワットレベルは望むべくもなく、いちばん大きくて10万キロワットである。ほとんどが１万キロワットに届かず、５０００キロワットでも大きいほうなのだ。

そのくせ１本の井戸の深さが１０００メートルから２０００メートルと深いから、１本掘るごとに２億円ぐらいの掘削費がかかる。マグマ溜まりの規模が小さく、掘ってもハズレてしまう場合もあるし、蒸気量が少ないため掘削費のコストが相対的に割高になる。

そのうえで温泉事業者が反対に回るケースが少なくない。話し合いに時間がかかり、適地が国立公園内にあることが多く場所の選択に制限が加えられる。

菅首相が「２０５０年カーボンニュートラル宣言」をしたその日（２０２０年10月26日）、小泉進次郎・環境大臣は日経新聞のインタビューに答えて、地熱発電を加速する趣旨の発言をしている。全国34の国立公園では地熱発電の新設を制限している。

「よい案件があっても保護一辺倒で活用が進まない例もあり得る。保護と利活用の両立へ発想を転換する」

3・11以降にできたFIT制度は追い風だが、環境保護政策が過剰な規制を生んでしまうという足かせは残っている。

停滞していた地熱投資で比較的大型の案件が実現したのはごく最近の2019年、出力4万6200キロワットで国内4番目の規模の秋田県湯沢の山葵沢（わさびさわ）地熱発電所である。1万キロワット以上の大規模地熱発電所としては1996年の九州電力滝上地熱発電所（大分県九重町）の2万7500キロワットの稼働以来、じつに23年振りであった。

地熱発電の冬の時代がどれほど長かったか、この事実が雄弁に物語っている。

2008年から月1回のモニタリング調査を実施したのは地元の温泉組合が危惧する温泉の湧出量に減衰がないことを証明するためであった。山葵沢発電所はJパワー・三菱マテリアル・三菱ガス化学の大手三社が設立した湯沢地熱が、2011年11月に環境アセスメントの手続きに入り2014年10月に完了、2015年に工事に着手した。

15万7000平方メートルの敷地に9本の生産井を掘り蒸気を噴出させ、7本の還元井で地中に戻す。それなりの資本力がなければできない事業である。発電した電力は全量を東北電力に供給している。

こうした大手の開発とは違って小規模な地熱発電によって地域再生が可能になるケース

もある。たとえば熊本県阿蘇郡小国町、阿蘇山など日本を代表する火山群がそびえる大分県に隣接した人口７３００人の農山村地域で「わいた温泉郷」がある。東へ30キロメートル行くと湯布院温泉がある。

わいた温泉は湯布院温泉のような知名度はない。地域の活性化を目指して地熱の活用に眼をつけた。１９９７年に大手企業が出力２万キロワットの地熱発電所を建設する話を持ち込んだが「温泉資源が枯渇する」と反対したその地元の住民が、10年以上経過して、65歳以上の高齢化率40パーセントになってからはたと気づいた。温泉が枯渇する心配がない十分の一程度の規模で地熱発電をやればよい、と。

地熱発電事業に関わる建設資金の調達から建設と運営までは専門業者に委託した。地元の住民たちでつくる「合同会社わいた会」が（表面的に）運営するわいた地熱発電所は２０１５年６月から出力１９９５キロワットで発電を開始した。電力供給量は、小国町の全３１００世帯分を上回る。電力の供給先は新電力では大手のエネット（ＮＴＴアノードエナジー・東京ガス・大阪ガスの共同出資）で、年間６億円の売電収入を得ている。

売電収入のうち６億円のうち収益配分は運営委託業者が８割、わいた会には２割の１億２０００万円が入る。

温泉郷が反対に回るより、自分たちのメリットを見つけた地産地消の典型例である。

ガンを切らずに治す「メディポリス国際陽子線治療センター」

火山列島だからこそ地熱資源が豊富なのだが、地熱資源があるところは温泉郷と重なり合うことが多い。温泉組合との話し合いや調整に手間取っていては開発が思うように進まない。日本は至るところに温泉あり、の世界である。

地熱開発が温泉を枯渇させるというのは、多くの事例を確認してもほとんど誤解にもとづいた考えなのだが、そもそものような誤解を招かない新しい発電方法があればよいのである。

「クローズドサイクル方式」という画期的な発電方式の実用化が始まりそうなので、砂蒸し風呂で有名な鹿児島県の指宿温泉郷へ向かうことにした。

指宿は薩摩半島の南端にある。鹿児島空港から鹿児島・錦江湾の群青色の内海を左に眺めながら、人家もまばらな風景のなか一本道の国道226号をクルマで延々と1時間半ほど南へ南へとひた走る。途中、右方向への分岐があり、西へ向かえばかつての特攻隊基地として有名な知覧に至るわけである。あたりは遮る山もなく、なるほど見上げれば薄青色の空が限りなく大きく拡がって見える。

指宿（いぶすき）は、湯が豊富な宿を意味する湯豊宿（ゆほすき）から転じたとされている。一般に温泉郷は山間地に多いが、指宿温泉郷は浜辺に松林が点在する海岸線に沿って宿が点在する。なるほど砂浜があるから、寝そべった客にスコップで大量の砂をかける砂風呂が名物になった理由がのみ込めた。

海岸の指宿温泉郷を背にクルマはアクセルをふかせて急坂を登り始めた。標高３３０メートルの山上の１００万坪の敷地にリゾート滞在型ホテルの「メディポリス指宿」があり、そこを目指している。

かつて税金の無駄使いの典型例としてその悪名をとどろかせたグリーンピアと呼ばれる施設（大規模年金保養基地）があった。年金福祉事業団という特殊法人があって国民年金と厚生年金の積立金のうち32兆円の運用をまかされていた。この32兆円をすべて運用していたかというとそうではなく、一部がグリーンピアの建設にあてられていた。当時のパンフレットにはこう書かれていた。

「緑豊かな自然と人とのふれあいの場としての意味を込め、グリーン（緑）＋ユートピア（理想郷）との合成語で名付けられたグリーンピア。日本各地に13カ所、恵まれた自然環境のなかにそれぞれ１００万坪以上のゆったりとした敷地をもっています」

こうして土地の取得と建築費で合計１９００億円もかかった。13カ所のグリーンピアは財団法人年金保養協会が4カ所を運営、残り9カ所は設置県に委託され、さらに県所管の公益法人に再委託された。

社会保険庁の役人の天下り先であったグリーンピアは経営理念があいまいで放漫経営により赤字が増大していた。僕もお手伝いした小泉純一郎首相の「聖域なき構造改革」の一環として廃止が決まった。小泉首相は「2005年度までに（売却価格が）安くてもすべて廃止処分」とすると明言したのである。

グリーンピアは引き取り手がなくほとんど叩き売り状態にあった。購入しても採算が合わないようにできている役所経営のとんでもない施設だからである。

そこを上手に活用できないかと考えたのが、株式会社新日本科学を経営（会長兼社長）する永田良一医師であった。

新日本科学は製薬会社から新薬の開発研究を受託している。新薬をゼロから開発しその申請まで一貫体制も組む。アメリカの大手受託機関と合弁会社をつくって臨床の治験業務受託もやっている。

廃止され売り物件となった指宿のグリーンピアを視察した永田医師は「森林に覆われて東京ドーム77個分もある敷地に雨ざらしになっているガラス張りの建物は、まるで映画ジュラシック・パーク2のようだ」と思った。廃墟を眺めながら永田医師が考えついたのはメディカルツーリズムの可能性と、それによる地域再生であった。

２３０億円でつくられたグリーンピアは買い手がつかず、わずか6億円で購入できた。壊せば30億円かかるので内外装を一新させた。リゾート滞在型の宿泊施設の特性を生かして、当時日本でもまだ6カ所しかない、ガンを切らずに治療する陽子線治療施設を併設すれば新しいライフスタイルが生まれる。

それを「メディポリス指宿構想」と命名する。「メディ」は医療、「ポリス」は高台の砦、健康に関わる医療、研究、産業の分野を包括的に取組み、健康への強い社会的ニーズに応えるため、リゾートホテルの「指宿ベイヒルズ」に「メディポリス国際陽子線治療センター」を併設した。

陽子線治療は、切らずにガンを直す新しい治療方法で、水素の原子核である陽子を光速近くまで加速し、患部にピンポイントで照射することによりガン細胞の遺伝子を直接破壊してガンを治療する方法である。治療中に患者が痛みや熱を感じることがない。

ガン治療は大都市で日常生活を送りながら大型病院へ通院するスタイルがふつうだが、リゾート滞在型の治療なら、非日常的な場所で過ごすことで気持ちを別のところへ向けてもらうことができる。ホテルが建つ高台からは、温泉に浸かりながら白浪寄せる指宿の海岸と薩摩富士と呼ばれる開聞岳に沈む夕陽を眺められ、こころも安らぐに違いない。

ホテルのレストランでは鹿児島の黒牛のステーキも近海で獲れた海の幸も地元の新鮮な野菜や果物も提供できる。治療中の数週間をそうして過ごせば、ガンは切除せずに陽子線照射だけで治せるので心身ともに癒すことができる。

当然ながら長期滞在客のうちインバウンド客の比重が高まっていく、と予測してメディカルツーリズムを思いついた。海外ではタイやインドネシア、インドなど、観光と医療サービスをセットにしたメディカルツーリズムを政府が中心になって力を入れ始めている。これらの国々と比較したときに、優位に立てるとしたら日本の医療技術であり、国内でも希少な陽子線治療の設備だろう。

「日本は国民皆保険という世界にも類をみない独特の医療保険制度があります。国民全員が少ないおカネで同じ水準の医療を受けられる。医療機関にとって成長の可能性があるのは外国人です。彼らは保険制度の枠を超えて自由診療ができるので追い風となる。陽子線の設備には100億円もの資金が必要だった。外国人が来て多額のおカネを使ってくれることに異論はないでしょう。治療費はもちろん、日本滞在中の宿泊、食事代、さらには観光や買い物代など、さまざまな消費が見込める。

たとえば、公的保険診療が認められた前立腺がんの治療費の場合は、陽子線治療技術料として約160万円。日本人の場合、そのうち患者さんが払う陽子線治療費は、保険診療費の3割、約50万円（ただし、高額医療対象となり70歳未満では標準所得で10～35万円、低所得では7万円、70歳以上の低所得では3万円）で済み、残りは健保が支払うことになる。

では外国人はどうかというと、健康保険制度の金額は国が定めた保険診療の価格なので、外国人であれば治療費を医療機関の裁量により、たとえば５００万円と設定することもできます。その金額を外国人は全額支払う。アメリカでの陽子線治療費は、前立腺がんでは１５００万円前後が一般的です。アメリカの患者さんにとっては飛行機代やホテル代を払っても日本で治療を受けたほうがかなり安くなるのです」

陽子線治療を導入している病院が少ないのはコストが尋常ではないからだ。実際に高額な機械を導入した結果、治療施設は毎年、赤字を抱える。巨大な精密機械にはメンテナンス料金などの費用も甚大になる。もともとは三菱電機製だったが儲からないようで、その製造・メンテナンスは日立製作所に売却されている。メンテナンスは20万個の部品からなる先端的な医療機器なので、部品のいくつかはつねに交換する準備をしていなくてはならない。コンピュータ制御されているから、技術者は常時駐在してメンテナンスする。かなり厄介な機械なのである。

「それでもがん患部を確実に陽子線が照射するから、90歳の患者でも治ってしまう。日本は凄い機械をつくったのです」

メディポリス地熱発電所稼働。さらに2つも

永田医師は、資金繰りに頭を悩ませながら、開聞岳に沈む夕陽をじっと眺めた。ふと地熱発電ができるのではないか、と閃いた。

あの巨大な陽子線の機械の高額な電気代を地熱発電でまかなえばよいのだ。思い立つとすぐに霞が関の経産省へ向かった。担当課に相談すると、指宿周辺の豊富な地熱資源については承知していて補助金の申請について説明してくれた。

地熱発電の補助金の申請やコストの計算など企画を立て実施するチームを社内に立ち上げる、と同時に地熱発電に反対するグループの存在も知った。指宿の旅館組合などの温泉事業者である。

「地熱発電をやると温泉が枯渇する」と、反対するグループは主張した。

指宿の温泉郷は海岸沿いにあり、温泉の湧出もたかだか地下数十メートルである。メディポリス指宿はそこから直線距離で10キロ以上も離れた標高330メートルの地点にあり、地熱発電用の生産井は1500メートル以上の深さまで掘削したところの蒸気熱だけを活用して、温泉はすべて地下に還元するので、温泉郷と地熱発電と因果関係は生じない

はずである。

「説明会を27回も開きました。もちろん、地熱発電が南薩摩地区の地域を活性化するために貢献できること、15年間は固定価格買取り制度があること、指宿市には年間１億円の固定資産税収入が生まれることも説明した」

こうして「メディポリス指宿構想」の一環として「メディポリス指宿発電所」の計画が始まった。経産省からＮＥＤＯ（新エネルギー・産業技術総合開発機構、前身は新エネルギー総合開発機構）を紹介された。ＮＥＤＯの事業として地熱発電開発促進事業がある。

新日本科学（子会社のメディポリスエナジー）と地熱のコンサルである西日本技術開発（福岡・九州電力の子会社）、九電工の３社がＮＥＤＯから調査事業を共同事業として受託した。

ＮＥＤＯが調査事業費を支払うかたちになる。上記３社に調査事業費７億円が先に渡される。まあ、当たるか当たらないか、まず掘ってみてください、ということである。掘削した井戸はＮＥＤＯに所有権がある。掘削した井戸が当たりだったらＮＥＤＯから井戸を買い取るということであり、失敗した場合にはＮＥＤＯが出しっぱなしになる。リスクを取るのはＮＥＤＯという開発を助成する仕組みである。

受託した３社は、まず地表調査に入った。ヘリから空中写真を撮影し、過去に温泉が出たような箇所と似た地表面が変質したリニアメント（線状模様）があるかなどを観察する。これを主にやっているのが西日本技術開発である。

さらに電磁探査を行う。地面に電気を流してどこに電気が通りやすいか通りにくいかを観察する。電気が通りやすいところには水があることがわかる。重力探査もやる。地中に周りよりも重いものがあれば、そこに地熱貯留層があると推測できる。重力の変動を観察して地下に重いものがあるなど地下構造を見る。

地下モデルが作成されるまでに1年近くかかる。電磁探査の際には測定器のユニットを数十カ所に設置する。直径2メートルほどのユニットを最低でも20カ所から50カ所に設置しなければいけない。こうした機器類も西日本技術開発が持っている。

地熱貯留層の調査に数千万円の費用を要した。それから実際に掘削するための調査が始まる。小さなボーリングを、５００メートルから１０００メートル掘る。幅は10センチほどである。これによって温度がわかる。温水が吹き出す可能性はあるが、噴き出してくるものを抑える逆止弁という水が噴き出ないよう蓋をするので、意図せずに噴き出してくることはない。

調査ボーリングは通常はターゲットを決めて行うので1本でよい。ボーリング調査には半年ほどかかる。調査ボーリングで温度レベルが高いとわかると、構造試垂井（しすいせい）を掘る。径は下の部分で20センチほどで約3倍になり、深さは２０００メートル前後となる。

水を入れながら掘っていくと水が地表まで帰ってこない地点がわかる。これは水が横の方角に抜けてしまう、水の道があるからだ。そこから熱水が入ってくる可能性がある。熱水が来るか来ないか、可能性までしかわからない。来る可能性はあるということ。そこで熱水が来るか確かめる噴気試験をやる。井戸に圧力をかけ自噴を促す。

自噴をする井戸は４本に１本ぐらいの確率である。最近の相場では井戸を一本掘削するのに６億円かかる。２００７年当時の相場では１本２億円ぐらいだった。地熱の開発が増え、需要は大きくなっているが掘削業者が限られているため、掘削コストは3倍に上昇している。

地熱発電を普及するためにＪＯＧＭＥＣ（独立行政法人石油天然ガス・金属鉱物資源機構）から１本あたり半額の補助がある。補助制度はＮＥＤＯの管轄だったが、途中、２０１４年にＪＯＧＭＥＣに移行した。制度の仕組み上、成功して発電するとＪＯＧＭＥＣの資本となるので半分はＪＯＧＭＥＣに返さなければいけない。

掘削業者は減っている。１９９０年代から政府の方針が原発に傾いたので反比例して地熱のニーズが下がった。その結果、掘削業者の数が減少した。

補助事業がＮＥＤＯからＪＯＧＭＥＣに移った当初は全額補助だったが数年で半額補助

に切り替わった。FIT（固定価格買取り制度）が始まって地熱開発に追い風が吹いたが、そのぶん数が減少していた掘削業者は売り手市場となり掘削価格が高くなったからだ。

掘削の価格は基本、かかった費用の積み上げ方式だが、どうしても業者の言い値が強い、3社で相見積もりをとっても安くならない。相場が上がっている。

メディポリスの掘削は1本目は成功した。ただ1本目は想定していた出力より低かったので2本目、3本目を掘ることにした。2本目は2008年に掘削した。しかし、温度が高くなく水が逃げることもなく井戸として外れで、埋めた（当時は1本2億円で全額補助）。3本目は同じ2008年に掘った。生産井から出た蒸気を発電で使用したあとに地下へ熱水を戻すための還元井としては当たりだった。結局、2007年に掘った1本目を生産井、この3本目を還元井として使うことでメディポリスの地熱発電はスタートした。

当初は1500キロワットを目指していたが実際に掘ってみた結果、1本目の井戸は1000キロワットを満たすかどうかという推定だった。そこで4本目を2009年に掘った。1本目を補うためである。だが4本目は温度が足りず、自噴しないため外れだった。

結局、発電の計画が進むにつれて、1本目は1000キロワットと見られたが、だんだん成長して温度が上がり1500キロワットになった。

こうしてメディポリスの地熱発電は、1本目と3本目を使って1500キロワットの発

図5-2 地熱発電の収益構造

〈1,500kWクラスの地熱発電所を想定（掘削成功確率は約25%）〉

•投資額　約25億円
　井戸掘削にかかる費用：約10億円
　発電設備にかかる費用：約15億円
•年間売電量　1,000万kWh

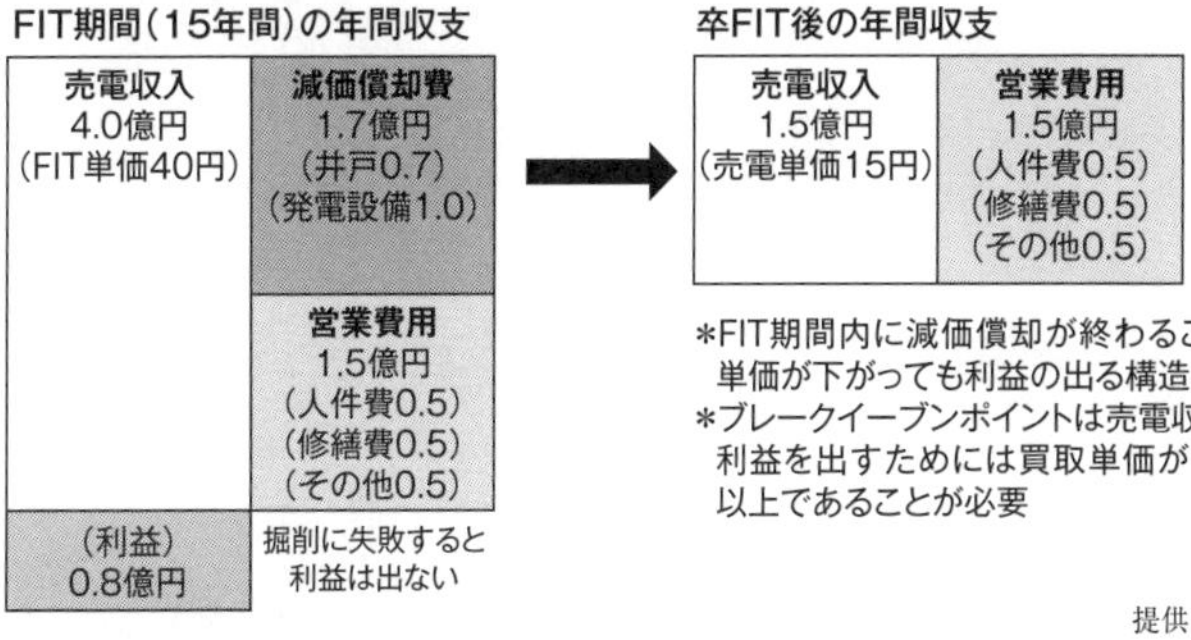

FIT期間（15年間）の年間収支

売電収入 4.0億円 （FIT単価40円）	減価償却費 1.7億円 （井戸0.7） （発電設備1.0）
	営業費用 1.5億円 （人件費0.5） （修繕費0.5） （その他0.5）
（利益） 0.8億円	掘削に失敗すると 利益は出ない

→

卒FIT後の年間収支

売電収入 1.5億円 （売電単価15円）	営業費用 1.5億円 （人件費0.5） （修繕費0.5） （その他0.5）

＊FIT期間内に減価償却が終わることで、売電単価が下がっても利益の出る構造
＊ブレークイーブンポイントは売電収入1.5億円
利益を出すためには買取単価が15円/kWh以上であることが必要

提供：新日本科学

電を続けている。１本目は成長したが、逆に今後減少する可能性があるのではないかとも懸念されるが、西日本技術開発によるシミュレーション結果では、30年使ってもほとんど変化はないと予測している。

　収益としては、ＦＩＴに合わせた15年の減価償却を想定しており、卒ＦＩＴ（15年の固定買取り期間終了を卒業の意味でこう呼ぶ）となり、売却価格が８円に落ちても利益は出るかたちではある。

　メディポリスの陽子線の巨大な精密機械は年間で３４０万キロワットｈの電力が必要とされる。通常の電力は１キロワット当たり17円ほどで買う。電気代は年間６０００万円かかる。地熱はＦＩＴ制度で１キロワット40円で売れる。その電気代の売上げは４億円。陽子線の電力を含めてメディポリス全体で1億円かかる。これらを発電所の利益で埋め合わせることができる。

２００７に掘削を始め、２０１４年に発電開始の計画が予定より1年延びて２０１５年に稼働したので8年かかった。だが経験を重ねることでつぎへの展開は見えてきた。

まずホテルに温泉を供給していた井戸は無駄に蒸気を放出している。その井戸を使って発電すれば５００キロワットの発電が可能とわかった。温泉の井戸は地熱の生産井と比べると浅く、径は下の部分で6センチと細い。最初に温泉を掘ってから10年ほど使用していたが途中から温度が下がった。井戸の途中に穴が空いていたため、すぐ側に穴を掘る替掘をした。

もともとある井戸の5メートル以内に掘れば、替掘の申請ということで済む。替掘は２０１８年に掘り始めて２０１９年に終わった。費用は2億円くらい。酸に耐える特殊な管を使う必要があり掘削より、ステンレスの管を使用するのでそちらのコストで高くなった。

これを第一温泉発電所と命名した。第二温泉発電所も計画している。これも温泉に使っていた井戸だが、途中から出なくなった。もともとはグリーンピア時代の遺物で、お湯の供給のために使っていた。これも替掘をした。

比較的浅く100メートルほどで自噴はしたので使えるが、それほどの力強さはない。どのくらいの量の発電が可能か、しばらく様子をみたうえで方向性が決まる。地熱発電の1本目の井戸のように、しばらく置いておくと井戸が成長することもあるので様子を見るほかはない。これを第二温泉発電所と命名した。

メディポリス地熱発電所、温泉を利用した第一温泉発電所、第二温泉発電所、そして新しい方式にチャレンジするのが4番目の発電所である。

世界初のクローズドサイクル型地熱発電

世界初のクローズドサイクル型地熱発電を試みることになった。地中から蒸気・熱水を汲み上げるのではなく、熱源に水を流し込み循環させる仕組みである。蒸気・熱水を汲み上げず、地中熱のみを吸収するという新技術である。

クローズドサイクル型は名称の通りで、従来型は掘削して蒸気・熱水を自噴させるが、約40センチの大口径の掘削孔に熱回収のための二重管を挿入し、その中を水が循環する。外側の管から水を入れ、内側の管が温められた水を戻す管になり、蒸気タービンを回して発電する。

図5-3　地熱回収

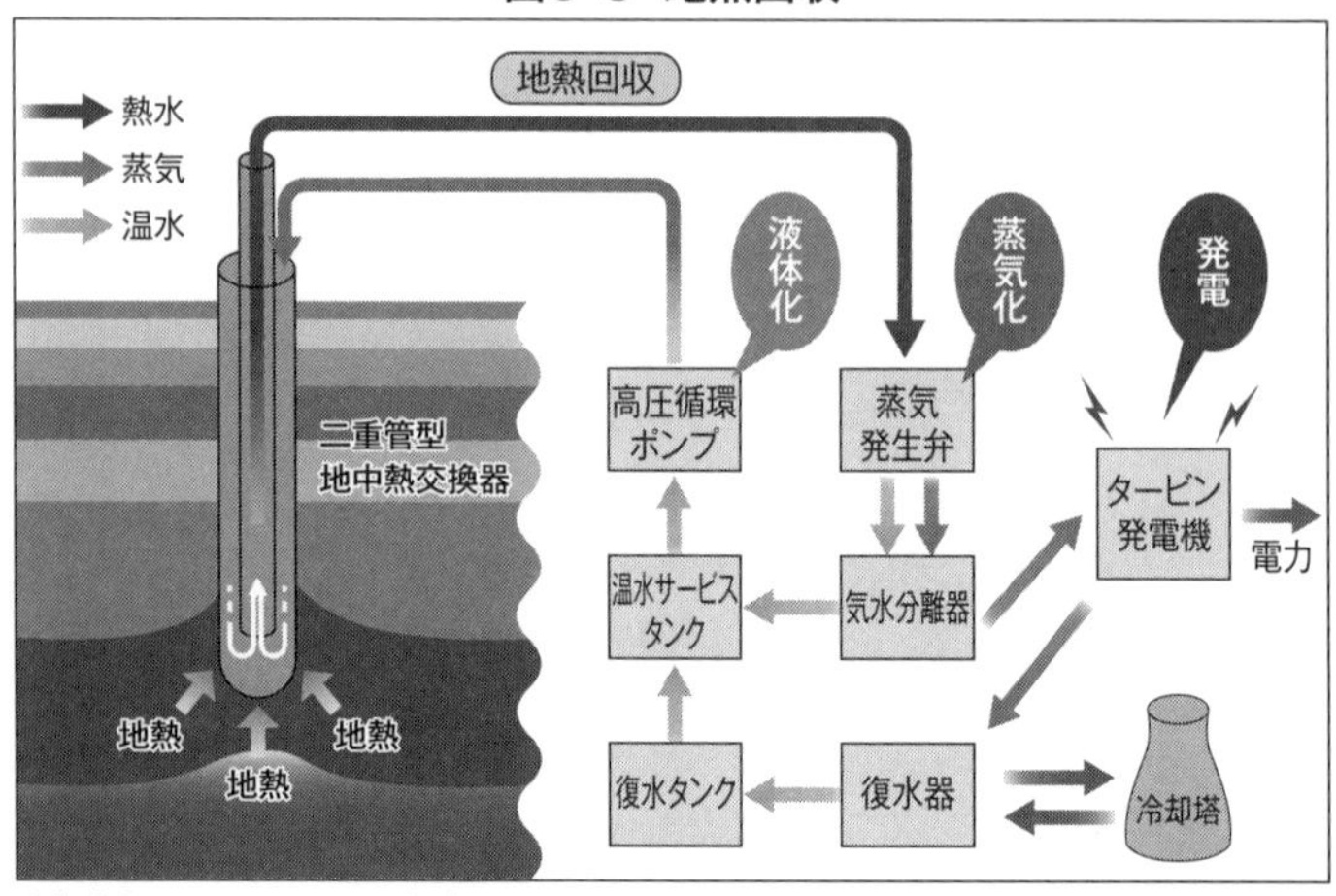

出典:「ジャパン・ニュー・エナジー」

もう少し説明を加えよう。二重管に埋設した「二重管型熱交換機」内で、地上から加圧注入した水を地中熱によって温め、液体のまま高温状態で抽出、液体は地上で減圧し一気に蒸気化してタービンを回して発電するシステムである。

水は二重管を循環するだけなので、温泉水に混じる不溶性成分が管の内側に付着し固形化することで起こる〝詰まり〟がなくなり、無駄なメンテナンスコストが不必要になる。

クローズドサイクル型では掘削をして熱があるかないか、それが事業リスクとなる。熱源さえあればよく蒸気・熱水は出なくてもよいので従来よりはリスクが少ない。したがって理屈上、掘削の成功確率は半分以上になるはずだ。ただし40センチの大口径の管を埋め

図5-4　クローズドサイクル方式地熱発電と従来型地熱発電の比較

	クローズドサイクル方式地熱発電	従来型地熱発電
合意形成	○地下水を汲み上げないため非常にスムーズ	×地下水を汲み上げるため、温泉事業者等の反対が多く、難易度高い
法令	○大分県での実証実験時、環境省経由で温泉法適用除外の見解を得ている ※鹿児島県、秋田県等においても同様の見解	×掘削において、坑井間の距離や口径等を制限する 温泉法の適用を受ける
掘削	○高温の熱水が存在していれば、地熱貯留層がなくても発電可能	×地熱貯留層（高温高圧の熱水が溜まる場所）に掘り当て自噴させることが必要（成功確率30%以下）
	○還元井が不要（井戸掘削本数が少ない）	×生産井と還元井、最低2本の井戸が必要
	○地下の熱水を汲み上げず、地下温度を下げないため、近傍で複数本掘削可能	×地熱貯留層の容量が決まっているため、複数本掘削し、一度に多くの蒸気を取り出すと減衰するリスク有
	△原則、垂直掘り	○傾斜掘削（最大30度）が可能
	△二重管を挿入するため、地下深部まで大口径（30cm以上）で掘削が必要	○大口径の必要がない（通常20cm程度）
発電設備	○一般の火力発電に使われる設備（比較安価）	×地熱発電専用設備（耐食性能）が必要
メンテナンス	○工業用水を利用するため安価 （従来型のように地下水成分によって管が詰まることがない）	×定期的に配管等のスケール除去、生産井の追加掘削が必要 （地下水に含まれるケイ素、カルシウム等によって目詰まり）
環境影響	○発電時完全にCO_2フリー	×地下からの蒸気に含まれるCO_2が大気に放出される

出典：新日本科学「メディポリス指宿における地熱発電の取り組み」

るための穴だから掘削コストは高い。想定としては7億円を見込んでいる。

クローズドサイクル型は新技術なのでＪＯＧＭＥＣの補助は使えない。ＪＯＧＭＥＣの場合は確実性がある技術、実証された技術に対して支払われる。大分県九重町での実証実験ではＮＥＤＯから全額補助を受けた。今回の指宿のプロジェクトでは、大口径の掘削と二重管の製作等だけで約15億円の費用になると見込んでいる。

クローズドサイクル型地熱発電の仕組みを考えたのは京都大学の横峯健彦教授で、Ｊ・ＮＥＣ（ジャパン・ニュー・エナジー）というベンチャーと組み実用化に向けた共同研究をしていた。まず実証実験装置として大分県九重町で30キロワットの小さな発電所をつくった。2016年に発電実証に成功している。これから大規模にやっていくのには単独では難しいとして、2018年に三井不動産が共同研究に加わった。

今回の指宿でのプロジェクトは、J・NEC、三井不動産、そして新日本科学の3社で実施する。三井不動産は、環境・エネルギー事業部という部署が担当する。これまでは太陽光に投資をしていたが、近年は洋上風力発電への進出と、このクローズドサイクル型地熱発電への展開に熱心だ。

三井不動産環境・エネルギー事業部（事業グループ・石田義勝グループ長）によると「地元の無理解が地熱開発のネックになりやすいが、熱水を引き抜かないと説明したら了解を得られた」と、クローズドサイクル型の利点を強調している。

ただし径は30センチ以上の大口径であり、しかも二重管の製作等にもコストがかかる。これまでの実証プロジェクトに要した費用は10億円ほどになった。

三井不動産は地熱では後発組であり、手始めに2017年にフラッシュ式の地熱を北海道八雲町で手がけたが失敗している。水脈にはあたったが発電に必要な蒸気を確保できなかった。試行錯誤のなか、地元との合意形成や失敗率などリスクを払拭したいと考えているなかで、大分県九重町でのプロジェクトに参加した。

クローズドサイクル型の二重管は、従来型なら蒸気を生産する井戸と還元する井戸が分かれているのが一つになっている。いわば魔法瓶のようなものではないかと理解してそこに賭けた。地下で満足な噴気がなくてもできるし、管が詰まるなど地下深くのメンテナンスコストが不要となる。高くつくのは掘削コストだけだ。

大手の三井不動産は、指宿で成功したらクローズトサイクル型を全国展開する方針でいる。エネルギー開発には大きな資本が必要であり、実業界・金融界からのサポートがないとできない。国策としてはどれだけプレーヤーを増やすかではないか、と石田義勝グループ長は大手として地熱開発に関わる考え方を、「我が社のテナントに自前で自然再生エネルギーを提供できればテナントの価値が上がる、サプライチェーンへの脱炭素化への要請が急なのでスピードを上げていかなければならない」と述べた。

これまでの地熱発電では掘削申請を知事に提出してから掘削の認可が下りる。知事の許可を得るためには温泉審議会の賛成が必要になる。温泉法に知事の許認可が必要と書いてあるからだ。反対があると知事から認可が降りない。

だがクローズドサイクル型は、温泉の湧出を目的としない単なる穴なので掘削届だけで済む。大分県九重町の実証実験施設はそれでよかったし、鹿児島県へも掘削届だけで済む。

地熱が普及しない理由はいくつかあるが、第一は掘削のリスクが高い。第二が地元の反対である。第三に利益構造的に投資額に対して収益が少ない。クローズドサイクル型はこの3つのリスクを解消できる可能性が高く、したがってこれまで時間がかかるとされた地熱発電の期間短縮を実現できる。

メディポリスのクローズドサイクル型の掘削は早ければ2021年夏に始まる。最終的に二重管を入れるなどして最短で2024年に発電を開始できる。1400キロワットの発電を予定している。

逼迫している掘削関連人材を、どう養成・確保するか

地熱発電の場合、1万キロワット以上は「第一種事業」として環境アセスメントが義務付けられ、7500キロワット以上1万キロワット未満は「第二種事業」として必要性が個別に審査される。ただし、鹿児島県の場合、条例でこの「第二種事業」が5000キロワット以上となっている。環境アセスは3、4年もかかる。環境アセスの項目があり、環境省側でも項目を減らす方向性で動いている。これについては、小泉環境大臣が新しい迅

速化の方向を打ち出したので後述したい。

メディポリス地熱発電所は１５００キロワットなので環境アセスは要らなかった。鹿児島県には５０００キロワット以上の地熱発電所としては九州電力の山川発電所と大霧発電所があるが、いずれも環境アセスが始まる１９９７年より以前につくられている。

１９９０年代後半、地熱は冬の時代へ入った時期以降、ＦＩＴ制度で追い風が吹くまでの間に需要のない掘削業者は消滅しかけていた。

40センチの径が必要なクローズドサイクル方式ではそうした技術をもつ掘削業者がなかなか見つからない。掘削を依頼したのはハンジン（韓進）という韓国の掘削業者だった。

韓国の中央日報によると、地下３５０２メートルまで掘るのに成功した韓進のイン・ソクシン会長（58歳）は「世界一の記録を達成でき、革新的な技術で海外企業を越えるという夢がかなった」と述べている。「ボーリング速度も従来の15倍にのぼり、非火山地帯で98度の地中の水温を確認したのは大きな意味がある。深部地熱発電が可能になるからだ」（２０１４年2月3日付）とその技術は評価されている。

地熱発電の研究書『コミュニティと共生する地熱利用』（諏訪亜紀他編著）では地熱を発展させるために「２０３０年度の目標達成において、人材的に最も不足するのは掘削関係の従事者だと予測されている」として以下のように記している。

図5-5 2030年度の導入目標を達成するための開発シナリオ

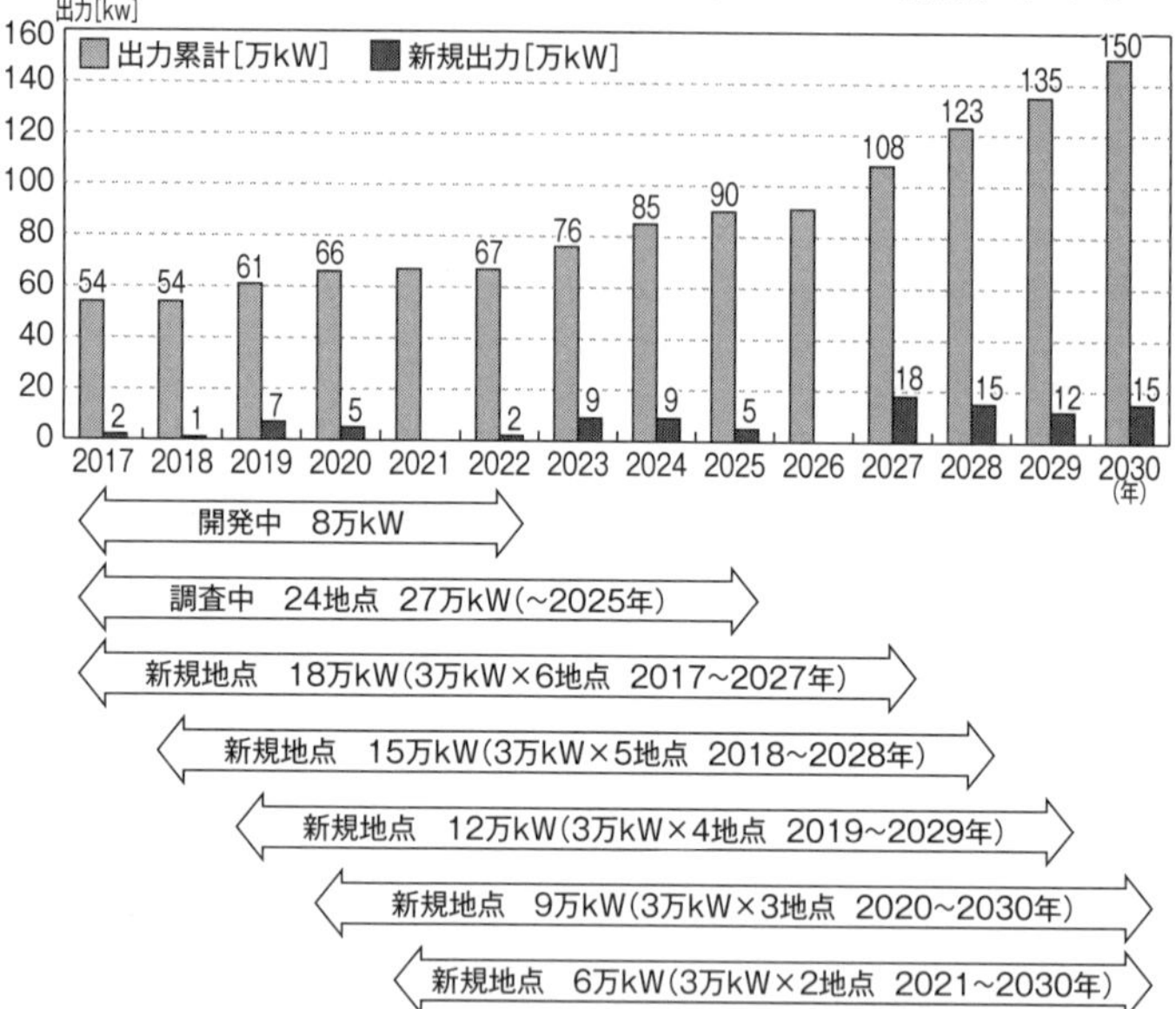

出典：地熱発電の推進に関する研究会（2017）

「現在でも掘削関連人材は逼迫しているのだが、どうにかやりくりしている状況だ。例えば、2030年度の目標を達成するための井戸の掘削本数、それを賄うリグ（掘削機器）台数およびリグを稼働するための人員数を見積もった例を見てみよう（地熱発電の推進に関する研究会、2017）。2030年度導入目標達成に向けて、今後資源量調査地点が増えるとともに、調査段階から開発段階に移行していくにつれて、掘削分野の人材が不足し、開発に支障が生じる恐れがある。現在、日本には2000〜30000mまで掘削可能な大型リグは約20台あるが、クルーの不足により半数程度しか稼働できない状況にあると言われている。現在はかろうじて対応しているものの、すでに（２０１6年時点で）人材の逼迫感が出始めているとも見られているのだ」

同書の分析では、２０３０年度の導入目標を達成するための開発シナリオどおりに今後新たに開発が進むことになれば、必要な年当たりの坑井数は、２０１7年～２０３０年に年間60本ほど必要になる。リグ１台で年間３本の掘削が可能とすれば、現在ある20台のリグがフル稼働すれば、年間60本を掘削することができる。

だがリグ１台に25人ほどの人員が必要で、20台なら５００人となり、現状では２５０人ほどの人材しかいないから、人員を倍増しなければならない。リグ数を増やしても、人員不足が大きくなるだけで解決には至らない。したがっていま求められているのはリグ数を増やすことではなく、人員を増やすこと。

そのため海外クルー派遣会社の活用、石油系クルーの活用、冬期間の掘削可能化などで一定数は賄えるとしても、新たな技術者の確保・養成が必要になる。資源工学系あるいは地球科学系人材から賄うか、そうでなくても他分野の大学生や工業高校出身者を育てていく方針を整えるべきだろう。

メディポリスのクローズドサイクル方式では韓国の掘削業者を手当てすることで乗り切

った。必ずしも国内の業者のみに頼らなくもよいが、政府の方針（今回の菅首相のカーボンニュートラル宣言のように）がはっきりしていて、地熱発電の将来性をきちんと描ければ人材養成も不可能ではない。ここでも国家戦略が問われている。

小泉大臣の「地熱のリードタイム最短で8年」発言

地熱発電の発展のためにもうひとつの壁がある。企画から発電開始まで10年あまりの期間を要する、つまりリードタイムが長すぎるのだ。ここをどう突破するかである。不必要な時間コストを削減するために、小泉環境大臣は動き始めた。

菅首相が「２０３０年度の温室効果ガス（CO_2）排出量を46パーセント削減（２０１３年度比）することを目指す」と予想外に大胆な数値を表明した翌週、４月27日に小泉大臣は「環境省として地熱開発についての加速化のプランをまとめたのでお知らせしたい」と記者会見を開いた。

「現在ある60を超える地熱の施設数の全国での倍増を目指すこととしたい。いま地熱のリードタイムというのは10数年と言われているんですが、これを最短で8年にしていくつもりです」と宣言した。

この1年はコロナ禍に覆われているようだが、気候変動へのマグマが深いところで絶えず胎動していた。第1章で記したが、2020年10月から政府のエネルギー基本計画の改定の議論が始まっている。

「エネルギー基本計画は、3年に1度の改定が義務づけられており、今回の改定は2018年5月以来の改定となる。COP25で化石賞を授与された日本は、コロナ禍でCOP26が2020年から2021年にと1年遅れにズレたことは好機で、その間に菅首相の『2050年カーボンニュートラル宣言』も挟み込むことができた。COP26に、2030年を目標とした電源構成（発電に利用される電源の内訳、エネルギーミックスとも呼ばれる）を新しく改定した数字で示さなければ国際的信用を失う。もうあとがない」

「温室効果ガス46パーセント削減」と意欲的数値目標を宣言した菅首相は、さらに「50パーセント削減に向けて挑戦を続ける」と表明した。COP26を控えて、「2050年カーボンニュートラル」が実現可能であるとする裏付けを示さなければならないと同時に欧米各国にひけをとらない数値を用意しなければならない。

CO_2排出の4割近くは発電に伴い発生する。したがって2030年の電源構成に占める石炭火力比率をどこまで抑え、自然再生エネルギー比率をどこまで高めることができるかがカギを握っている。

本書では太陽光、風力について多くのページを割いてきた。その他にバイオマスや水力もあるが、太陽光と風力は不必要な規制を取り払うことができれば比較的順調に伸びていく可能性をデータで示して論じた。しかし地熱だけは伸び悩んでいた。世界第3位の資源量を有しながら、この停滞振りは一種の人災と考えるしかない。

2018年に決めた電源構成で地熱は2030年であっても比率1パーセントでしかなく、しかもその達成もおぼつかない、それが現状である。

何とかしなければならない。2021年の年明け、僕は自民党本部に二階俊博自民党幹事長を訪ねた。二階幹事長は超党派地熱議連共同代表を兼ねている。地熱発電にもっと力を入れるべきではないかと提言するためである。国会開会中で永田町の党本部はがらんとして誰もいなかった。林幹雄・幹事長代理（二階派副会長）が出迎えてくれた。

手短に趣旨を説明すると二階幹事長は下唇を突き出し一瞬沈黙した。答えを探しあぐねていたのである。

「じつは地熱議連は北海道の吉川君（吉川貴盛元農林水産大臣）にまかせてあったのだがいまはほら、あれでねえ（2021年に鶏卵業者に関わる収賄容疑で起訴中）」

そういえばJOGMEC主催の「地熱シンポジウム」（2020年10月）をYouTube配信で視聴した。そこで吉川議員は「超党派地熱発電普及推進議員連盟事務局長」として来賓挨拶をしていた。

「増子君（増子輝彦参議院議員、元民主党）も宙ぶらりんの状態でねえ」

野党側の増子輝彦も同じシンポジウムで地熱議連共同代表として、吉川事務局長とともに来賓挨拶をしていた。増子議員は民主党分裂騒動の結果、立憲民主党に入らず国民民主党に属したが、それもすぐに辞めて無所属議員になっている。超党派地熱議連は中心メンバー２人が実質不在の状態で機能不全に陥っていたのである。いちばん重要な時期に戦力が不在で、二階幹事長も困惑のていであった。やれやれである。せいぜい国会議員は温泉業者の代弁者としてじゃまをしないでいてもらえればよい。

電源構成に自然再生エネルギー比率を高めるために前線で奮闘しているのは小泉環境大臣である。地熱だけが少し穴が空いてしまっている状態ではないか、と伝えた。

太陽光や風力は季節や時間による変動幅が大きいが、地熱は原発に代わる安定したベースロード電源として重要だから、太陽光、風力、地熱は３点セットで組み合わせてそれぞれ短所を補い合う関係として考えなければいけない。

「たしかに地熱はリードタイムが10年以上かかる現状では進まない。そこを何とかしないといけませんね」

地熱資源は国立・国定公園のなかにあることが多いが、不必要な規制が地熱発電の進展を阻害しているのではないか。クローズドサイクル型など新技術も生まれて来ている。スピードアップの号令をかけたらどうか、というような話をした。

先の記者会見で小泉大臣はこう述べている。

「火山国として地熱のエネルギーは豊富にあります。自然公園法に関する今まで2回の規制緩和の結果、熱源が集中する国立公園と国定公園内で62件の案件がいま進行中です。これをさらに加速すべく、今日の午後、河野大臣のタスクフォースで示す自然公園法や温泉法の運用の見直しなどを進めつつ、環境省自らも率先して行動していきたい。現在ある全国で60を超える地熱の施設数の倍増を目指す」

そして「地熱のリードタイム最短で8年」発言へとつながるのである。

温泉法に縛られない地熱発電開発を

河野太郎規制改革担当大臣のところにある有識者会議（再生可能エネルギー等に関する規制等の総点検タスクフォース）に、地熱発電が進まない最大の課題として有識者側から提起されたのは、温泉法の存在だった。

温泉法とは日本独特の法律で諸外国にはない。地熱資源は国民の共有財産だが、日本では全国各地に温泉が湧いて旅館やホテルが存在しそこには必ず温泉組合がある。温泉は古くから存在する親しみ深い慣習・文化であり、地域のにぎわいに貢献してきた。そのため温泉の保護は、自然公園の保護と並び重要な施策ということで「温泉法」が制定された経緯がある。

温泉法は、「温泉を保護し、温泉の採取等に伴い発生する可燃性天然ガスによる災害を防止し、及び温泉の利用の適正を図り、もって公共の福祉の増進に寄与することを目的」としている。温泉は〝保護〟の対象なのである。

地熱資源は、温泉法で定義された「温泉」、つまり天然のお風呂に入り食事をし散歩し、その全体をレジャーとして楽しむための温泉業に利用されるためにあり、発電の資源とは考えられていない。

したがって地熱開発は温泉法に縛られ、温泉組合側の要望にもとづいた不必要な規制の対象になっている。メディポリスの例でも、10キロメートルも離れていて温泉事業者等は反対した（話し合いに長い時間を要していまは理解を得ている）。

温泉組合にはその地域の有力者がいるから、国会議員や自治体の首長の選挙などに影響力があり、科学的な知見で必ずしも温泉が枯渇するわけでないとしても、反対運動が起きてしまう。世界の地熱先進国では、日本のように温泉のみを偏重して個別に保護する規制は存在せず、また、資源〝保護〟ではなく、資源〝管理〟や〝利用促進〟を法目的としている国が多い。

実際に有識者会議の討議を警戒して、以下の「温泉協会要望書」が提出されている。

「国策として脱炭素社会への移行を目指すことに異論はございませんが、補助金ありきで拙速な議論により更なる規制緩和を促すことは、自然公園法の下で長年維持されてきた自然環境を破壊することに繋がり、将来に禍根を残すことになるのではないでしょうか。温泉地は温泉とその周辺の優れた自然環境と一体となって地域の資源となり、多くの観光客を呼び込むことで地域経済に大きく貢献しています。このため、当協会は今回の議論の中で自然公園法が地熱開発促進の障害になっているのではないかとの声が出てくることを危惧しております。自然公園法が地熱開発の障害になっているとは思いません」

温泉組合は「自然環境と一体」と主張することで、自然環境の保護を前面に打ち出しながら既得権益者として地熱開発に反対するケースが少なくない。地熱発電のリードタイムが長いのは、温泉組合との話し合いに時間を要するためである。逆に温泉組合に対して共存共栄の提案をすることなど理解を得る努力を重ねたところでは、地熱発電はスムーズに進んでいる。

また各開発地域ごとの審議会は都道府県知事の下に設けられるが、その審議会の構成メンバーに偏りがあり、温泉組合側の代表者がいても地熱専門家が含まれていないケースが多かった。そこは小泉環境大臣の号令で、環境省が各都道府県知事へ「通知」（２０２０年12月）することで解決された。

またメディポリスの例のように熱源として地熱溜まりのみを利用し、水分を湧出させない「クローズドサイクル型」という新しいテクノロジーが普及すれば、温泉法に縛られずに開発を進めることができる。今後の可能性としてあえて詳細な事例を紹介したのは、いつの世にもそれに見合った解決策はつねに見つけられる、できないではなくできる、そういう確信にもとづき示そうと思ったからである。

終章

SDGsビジネスに乗り遅れるな

2000兆円を超えるSDGsビジネスの市場規模

いつものように夕暮れにランニングをしていて、ふと私鉄の郊外駅を眺めると、停車したばかりの通勤電車が見え、車体にでかでかと「Welcome to SDGs TRAIN!」のラッピングがしてあるのに驚いたのである。僕はこうした流行にやや疑わしい眼を向けてしまうのは、SDGsが内側からつくられた目標ではなく外発的な要因で入ってきたもので上辺だけに見えてしまうからかもしれない。

日本ではSDGsがいま急に流行語のように広まりはじめているが、国連で「持続可能な開発目標（SDGs）」が採択されたのは、COP21でパリ協定が締結された同じ2015年であった。SDGsが日本で話題になりはじめるまでには時差があった。日本企業はパリ協定にも関心が薄い状態で、SDGsについても同様であった。ようやく3年後の2018年版「第5次エネルギー基本計画」に付け足すように以下のような文言が入れられた。

「特筆すべきは、『持続可能な開発のための2030アジェンダ』の国連での採択や、『パリ協定』の発効である。同アジェンダにおいては、エネルギー、経済成長と雇用、気候変動等に関する持続可能な開発目標（ＳＤＧｓ）が掲げられている。また同協定では、世界全体で今世紀後半に温室効果ガスの人為的な排出量と吸収源による除去量との均衡（＊カーボンニュートラル）の達成を目指すとしており、世界的に脱炭素化へのモメンタムが高まっている」

だがこうしたメッセージは日本企業にはなかなか届かず浸透しなかった。日本では三菱重工や日立や東芝など重電企業は何の疑問もなく東南アジアへの石炭火力の輸出に力を入れていたのである。脱炭素でも完全にズレていた。

ＳＤＧｓは急にスタートしたわけではない。その前身の「ミレニアム開発目標（ＭＤＧｓ）」との関係を少し説明しておく必要がある。ＭＤＧｓは極度の貧困と飢餓、普遍的な初等教育の達成、乳幼児死亡率の削減、エイズ・マラリアその他の疾病の蔓延防止など、主に開発途上国の課題を解決する目標を１９９０年を基準年として２０１５年までに達成するとされていた。２０１５年でその目標が一定程度の成果を上げると見込まれたところで、新しくＳＤＧｓが２０３０年を期限として、途上国への支援というよりもむしろ先進国自身の課題解決が問われるかたちの目標へ向かう。

「ミレニアム開発目標」から「持続可能な開発目標」へと代わった。ＭＤＧｓは、先進国の途上国支援の要素があったから、行動主体は政府やソーシャルセクターであった。ＳＤ

Gsでは、経済・社会・環境の3つの側面から人類全体の課題を解決しなければいけない。そのためには企業の創造性とイノベーションが密接に関わるはずで、その役割への期待が高まった。企業が主要な行動主体として位置付けられたのである。

SDGsは「17の目標」（貧困をなくそう、飢餓をゼロに、すべての人に健康と福祉を、質の高い教育をみんなに、ジェンダーフリーの実現、安全な水とトイレを、エネルギーをクリーンに、など）と「169のターゲット（具体目標）」で構成されている。

ひとつの例を挙げよう。たとえばジーンズで有名なアメリカのリーバイスはILO（国際労働機関）と世界銀行グループのIFC（国際金融公社）が展開する労働改善プログラムに参加した。リーバイスはIFCとパートナーシップを締結し、途上国の縫製委託先企業に、環境、健康、完全、労働に関する水準を改善した場合に金利を安くする短期融資を提供した。リーバイスにとっても優良なサプライヤーを確保できれば、サプライチェーンを安定化させられる。

夫馬賢治著『ESG思考』には、リーバイスだけでなくコーヒーチェーンで有名なスターバックスの例も示されている。2018年に世界中の店舗で使い捨てプラスチックストローを廃止すると発表し話題を呼んだ。が、じつは20年以上前から世界各地のコーヒー生産農家への事業支援、単なる支援でなく環境と農家の所得に配慮し続けることでコーヒー豆生産の持続可能性を支援してきた。スタバは単におしゃれでカジュアルという外側の印象だけでなく、ドリンクの原材料にはフェアトレードの実現という内実が備わっているのだ。

ＳＤＧｓビジネスの市場規模は２０００兆円を超えるという試算がある（経産省／日本規格協会「ＳＤＧｓビジネスの可能性とルール形成」報告書）。羽生田慶介の指摘（「ＪＭＣジャーナル２０２１・１」）によると、ＳＤＧｓの17の目標・１６９のターゲットには途上国の意見も反映されているが、ＳＤＧｓには経済世界の「ゲームチェンジャー」としての側面がある。「ＳＤＧｓ軸」で新たなイノベーションを起こす、という思想が重要で０から１を生み出すというよりも、１から１００に広げていく考え型が鍵となる。

「ＳＤＧｓ軸」で既存商品にもたらされたユニークなイノベーションの具体例として、たとえばパナソニックの製品・マグネットコンセントを挙げよう。従来のコンセントの概念ではしっかりはまってはずれない、だがその逆で、コードにつまずいたら「外れる」特徴を売りにした。高齢者や身体障害者にとっては転びにくいため安全で「外れる」に価値が認められた。「水に溶けるビニール袋」もその一例だろう。耐水性がビニール袋の価値であったが海洋プラスチック汚染問題に対して新しい価値になる。こうしてルールを変えることによって市場に組み換えが起きる、つまり結果的にこれまでになかった新しい市場が拓かれていく。

社会にある諸課題を解決し、持続的に利益を生む

貧富の格差の拡大など資本主義社会の行き詰まりがしきりに説かれている。コミュニズムの復活を説く本まで売れているが、それはあまりにも突飛な思いつきに思えるのは具体的な改革へどのステップを踏めばよいか見えないからだ。いま求められているのは地球規模での持続可能性の模索である。それがＭＤＧｓからＳＤＧｓへと確実に歩を進めているように映るのは、もうひとつ別の要素、投資家がどのような企業に投資をしたらよいか、あるいは、どのような企業となれば投資家に投資の対象にしてもらえるか、真剣に考えざるを得ないからだ。

きっかけは２００８年のリーマンショックだった。巨大な銀行をはじめとして磐石と思われていた有名な会社が相次いで経営危機に陥った。従業員も大量にリストラされた。まるで予期せぬ災害に遭遇したかのようなショックで、ではそういう突然に襲いかかる見えないリスクにどう備えたらよいのか、企業のサスティナビリティ（持続可能性）とは何かを考えざるを得なくなった。有価証券報告書等はあくまで短期的な事業成果を示すもので

しかなく、サスティナビリティの指標にはならないとわかったのである。

リーマンショック前から、ＣＳＲ（企業の社会的責任）が議論されるようになっており、それなりに影響力のある企業の社会貢献活動は企業イメージをアップさせるものとされていた。もしＣＳＲが〝飾り〟でなくほんとうに企業の持続可能性にとっての価値があるものなら、リーマンショックによって真価が問われる。

ここで方向が2つに分かれた。日本企業はリーマンショックを乗り切るために徹底したコスト削減へと向かった。削られたのは研究開発予算やＩＴ投資、環境対策予算を含むＣＳＲ関連経費だった。

いっぽう国際社会は違った。ＣＳＲの先に見えるはずだったが、じつはよく見えていなかったものについて考えた。ヨーロッパとアメリカ（トランプ大統領と無関係に）の名だたる企業は、自分たちが直面しているリスクとは何かを整理しはじめた。長期的な時間軸で事業のリスクを考えるとどうなるか。気候変動による地球温暖化がもたらすサイクロンやタイフーンの巨大化、水資源の枯渇や生物多様性の喪失、マイクロプラスチックによる海洋汚染、サプライチェーンの危機をもたらす人権無視の労働環境や児童労働、などこれらのリスクが長い時間のなかで企業の持続可能性を阻害していくと判断した。

逆にそれらを解決することのなかで持続的に利益を生み出しつづける構造がつくられる

はずだ。つまり長期的視点に立って生き残りを考えれば、目先の利益のみを優先するのでなく、環境や社会にある諸課題を解決する側に回らなければならない。

投資家は、E（Environment）、S（Social）、G（Governance）の観点から、企業の持続可能性について評価点をつけることで投資の判断基準とする方向へ動き出した。

ここで貧富の格差を助長する悪徳資本家のイメージをカリカチュアライズすれば、でっぷりと太っていて強欲で自分だけが儲かればよく利他性がない、となるだろうか。あるいはもう少し現代的に表現すればヘッジファンドやハゲタカファンド、アラブの石油王、ユダヤの富豪、ウォールストリートの投資マネジャーなどを思い浮かべるかもしれない。たしかに彼らは富を蓄積しているし、その富をさらに増大させるために活発に投資活動に勤しんでいる。しかし、実際には最大の「機関投資家」は、ふつうの人びとから老後の資産を預かっている「年金基金」や「保険会社」なのである（ちなみに日本の国民年金と厚生年金の合計170兆円の資産運用を担う年金積立金管理運用独立行政法人は2017年から日本株運用の一部をESG投資へ移行した）。そして機関投資家も富裕な個人投資家も資産運用を「運用会社」に任せている。

いまESGによる評価（格付け）会社が幾つもあり、その採点によって運用会社が投資先の企業を決めている。サプライチェーンに児童労働が含まれていないかなどのリスクを把握するデューディリジェンスも求められるし、CO_2の排出量も投資選別の評価基準のもっとも大きな要素となっている。ＥＳＧスコアの高い株が買われ、そうでない企業の株が売られる時代になった。

３０００兆円に膨らんだＥＳＧ投資の巨大なマネーが激流となって「共有する価値観」、つまり持続可能な世界へと向かって動き出している。急速にそういう時代へと転換しつつある。新しい資本主義が芽吹きはじめている。

そのど真ん中に「カーボンニュートラル」という目標が置かれているのである。第１章で記したようにベトナムのブンアン2の石炭火力発電プロジェクトから、イギリスの銀行も香港の銀行も足早に逃げ去ったにもかかわらず日本の銀行団はその意味がわからずにいた。つい昨日の出来事である。２００８年のリーマンショックから２０１５年のＳＤＧｓがありパリ協定があった。その陰でＥＳＧ投資へとマネーの流れが大きく変わり始めた。冒頭で、コロナ禍という災厄によってＣＯＰ26が1年延期になったと記したが、おかげで菅首相の「カーボンニュートラル宣言」も間に合ったし、CO_2削減目標46パーセントにも漕ぎつけた。日本国は、大相撲でいえば完全に立ち会いで出遅れた。だが「待った」をせずに、とりあえず土俵際の徳俵に詰まりながら踏み留まったのである。

新電力・Ｌｏｏｏｐの急成長

菅首相の「２０５０カーボンニュートラル」宣言から半年後、２０２１年5月26日に改正地球温暖化対策推進法が成立した。

温暖化ガス排出量を２０５０年までに実質ゼロにする政府目標を明記した改正地球温暖化対策推進法は、日本が２０３０年目標としている二酸化炭素の排出46パーセント減を達成するために政府としてできる政策を総動員させなければいけない。再生エネルギーの導入がしやすくなる「促進区域」を市町村が指定できるようにしたり、環境アセスメントの手続きの簡略化をはかりスピード感をもたせるなど、改革の出遅れを挽回する後押しのための法改正である。

ただ日本は2兆円の基金を立ち上げたが、ＥＵは官民合わせて10年間に1兆ユーロ（１３０兆円）を投資するとしており、いかにも足りない。日本企業は投資をせずひたすらコスト削減に専念して２４０兆円もの現預金が貯まっているが、これからは脱炭素産業への投資に向かうかどうか。急速に膨みはじめたＥＳＧ投資は、はずみにはなるだろう。

そして国内全炭素排出量の４割を占める電力の現状を、再生エネルギー中心にスピード感をもってどう切り換えられるかが問われつづける。

本稿をほぼ書き終えるころ、新聞の片隅に「ループ、新電力2社を子会社化」の見出しを見つけた。大阪市の四つ葉電力と新潟市の新潟県民電力のどちらも契約件数が１８００軒ほどの小さな新電力で、２０１６年の電力小売り全面自由化にともない新規参入した会社である。こうして乱立した新電力はこれから統合再編が進んでいく。

テスラ車購入に際しての環境省補助金申請で、再生エネルギー使用の証明を得るため東電から基本料金ゼロで急速に利用者を増やしている新電力のＬｏｏｐに切り換えたことはすでに記した。

上野の広小路にある17階建てのビルの最上階のオフィスを訪ねてみた。壁全体が窓で部屋は明るい。ゆったりとした空間に観葉植物が適度な感覚で茎と葉を広げている。フロアに仕切りがなく、いま流行りの社員が固定席をもたずに自由に席を選んで坐るフリーアドレス、とはいえまったくフリーというわけでもなく部署によるゆるい仕切りとグループ的なかたまりはあるようだ。

白い半袖のＴシャツ姿の社長、中村創一郎は年齢が43歳、まだ若い。短髪、童顔で大柄、肥満型の体躯だがお腹が出ているわけでない、固太りで艶がよい。フリーアドレスなので社長室ではなく、社長コーナーという感じで窓際に少し大きめの席がある。眼下に不忍池が見え、彼方に上野公園の緑の森が拡がっている。遮る建物がなく、眺望がよい。

「眺望のよいところを探したのです」

「気宇壮大になるから？」

「おっしゃる通りです」

Ｌｏｏｏｐがスタートするきっかけは２０１１年の３・11の東日本大震災だった。何か自分でできることはないかと、太陽光パネル製造会社を営んでいるに知人に相談すると、１４０Ｗのソーラーパネルを50枚、無償で提供してくれた。とはいえパネル単体ではただの板にすぎない。それを「電気を生み出す装置」に変えるため必要な資材を携えて現地へ向かった。

電気が停まっている避難所に行っては、太陽光パネルとバッテリーを組み立て設置する。たいした電力ではないが、携帯電話が充電できるようになり、夜には小さな照明が灯った。感謝された。

被災地のボランティア活動で閃いた。独立型の太陽光発電システムは地べたにパネルを置けば発電できて、その場ですぐに電力を使うことができる。原子力発電所や火力発電所のような巨大な装置がなくても、その巨大装置を所有する資本力がなくても、電力は供給できる。太陽光パネルさえあれば、どこにいてもすぐにできる。電力の届かない場所は地球上にいくらでもある、山奥でも砂漠でも、ニーズは無限大ではないか。あたりまえすぎる。これで起業すればよい。雷に打たれたようにすとんと腹に落ちた。

それから10年、新興勢力としてLoopは30万軒の顧客を獲得して売上高500億円にまで成長した。2018年には地域独占の一角を占めていた中部電力と再生エネルギー分野で業務提携して話題になった。中部電力に吸収されるのではないかと誤解されたが中電側の出資は10パーセントで、すでに設置してきた太陽光発電施設をAIによる自動制御機能システム管理するためなどLoop側の旺盛な投資意欲による資金需要のためである。中村社長は自社株70パーセントを保有しており、国内43拠点、総出力6万キロワットの自社発電所を有している。

順風満帆のように見えるが躓きもあった。

「長野県の諏訪湖の東側の山の南斜面に太陽光パネルを設置しようと構想しました。雑木林のような場所を80万平方キロ確保した。10万キロワットのメガソーラー発電所をつくる予定でした。当社としては最大のプロジェクト、地権者には、高齢化が進んで管理できないのでやってほしいとお願いされていたものです。ところが思ってもいないところから火の手が上がった。諏訪地方でなく、直接に土地が被っているわけではない茅野市側の住民から水資源が枯渇する可能性があると反対運動が起きた。計画したのは2013年です。

２０１６年までは環境アセスを通さなくてもできる方法があったが、あえて２０１６年にアセスをやると宣言したことが仇になったのです。この4年間、現地に１００回は行って、その間、話し合いを30回もやりました。結局、この計画はついに諦めるしかありませんでした」

こうした無理解による壁を取り払うために改正地球温暖化法ができたのであり、「促進区域」の指定など要件を満たせば再生エネルギーの開発はしやすくなるだろう。第5章で記した地熱発電においても、温泉協会など反対運動のほとんどは誤解にもとづいて起きている。

19世紀の産業革命以来の第2の産業革命

菅首相が「カーボンニュートラル宣言」をした際に、「国と地方で検討を行う新たな場」を立ち上げようと小泉環境大臣のはたらきかけで「国・地方脱炭素実現会議」が２０２０年12月に創設されている。その「国・地方脱炭素実現会議」の第３回目は改正地球温暖化法の成立から約２週間後、６月９日に官邸４階の大会議室で開かれた。首相、官房長官、地方創生相、農水相、経産相、国交相のほか地方を代表して長野県知事、横浜市長ら４人の首長が出席したのは、政府と自治体が目的を共有するためである。営利企業は民間としての立場で持続的可能性を追求するとして、国民・生活者目線でも「2050年へ向けた地域の脱炭素ドミノの拡大」を実現しようという意味である。

会議冒頭で小泉環境相は「2030年までに脱炭素先行地域を100カ所以上創出する」と打ち出した。1700の市町村に対して、広く薄く総花的に進めて焦点がぼけしまうより、100カ所の具体的で力強いモデルをつくったほうが効果的で説得力がある。地方自治体職員に関心をもってもらうと同時に地域住民への啓蒙と参加という目的もあるが、地方から縦割りの霞が関への尻を叩く牽制の意味もある。

本稿も終わりに近づいてきた。これまで記してきたように世界の脱炭素への地殻変動のパワーは産業構造の転換や投資活動においても、ものすごい勢いで変化しつつあるにもかかわらず、日本の企業や消費者の意識はまだ他人事のようなところがないではない。

日本の企業の弱点である「昭和」的な要素は、年功序列・終身雇用のタテ型の情報構造である。「平成」時代にそれが崩れ始めたが、大きく変わらなかったのは役員に占める外国人比率である。あるいは社外取締役の存在感の希薄さだった。純血種の社員だけで固めた企業は海外情報が入らず、よってそこから生じる異なる知見も生かせず、総じて情報的な閉鎖空間が生まれ新しい動きに遅れをとってしまう。これはまるごと日本のメディアにもあてはまる。冒頭で説明したが、小泉環境相への「セクシー発言」にまつわる誤報などは、その最たる例であった。

Ｌｏｏｐのオフィスのシーンに戻ろう。

「3・11まで何をしていたのか」

「父親は商社マンで、レアメタルを追い求め世界を飛び回っていました。父親の勧めで北京語言大学へ留学したのは、レアメタルの関係者の家にホームステイさせる策略でもありました。行ってみたら中国は僕に向いていた。何でもありで勢いがあったから。北京語言大学は世界各地からの学生で人種の坩堝でした。ラグビー部に所属したが、チームリーダーの1人はスコティッシュ、もう1人はデンマークとマレーシアのハーフ、欧米人のリーダーシップはブレることがない。真っ直ぐ突き進む。僕はリーダーシップとは何かを学びました。父親はやがて商社を辞めてレアメタルの専門商社を起業した。レアメタルの調達業務に従事し、発掘現場へも通い情報を収集したりする。レアメタル・ビジネスの要点はモノを押さえること、よい価格でモノを押さえることができれば買い手はいくらでもいる。でも父親とは同じ仕事はしないつもりでした」

「それが3・11で目覚めた」

「そうです」

「短期間で５００億円までできたが、今後のＬｏｏｐの方向性は？」

「２０３０年までに現在の30万世帯の顧客数を30倍の９００万世帯を目指せば1兆円になります。中部電力の顧客数に近いぐらいになれば売上高も同じになる」

「大きく出たね」

「でも、これって結局、リソースが国内でしかないからグローバルにはなれないのです。10兆円になるためにはどうやったらよいかわからない」

「それには思想、つまり世界観が必要だね。テスラのイーロン・マスクはＥＶそのものが目的ではない。すべてエネルギーフリー、つまり自然再生エネルギーによってCO_2を排出しないだけでなく廃棄物も出さない循環型の社会、ゼロエミッションの実現のための手始めにＥＶ車を手がけたわけです」

「東大でやっているドローンのプロジェクト、人が乗るドローンですが個人で出資はしています。たとえばアブダビからドバイに飛ばすとか、ドローンタクシーの会社でもつくって」

話は尽きないが、このくらいにしておこう。若い人にはガラパゴスから脱出してどんどんホラを吹いてほしい。大風呂敷を広げてもらいたい。

カーボンニュートラルの目標年度は２０５０年である。２０２０年段階ですでに78億人の人口がそのころには１００億人に達している可能性がある。

産業革命前の人口は10億人だった。19世紀後半から産業革命で人口が増加し20世紀に入るころに15億人になった。

19世紀後半のロンドンは、あの10年前の北京のように煤煙で昼間であっても見通しが悪いぐらい暗く空気が汚れていた。石炭の臭気が漂う労働者の住宅は不衛生のまま放置され死亡率が増大した。

この現状を改革しようとしたエベネザー・ハワードは『明日の田園都市』を著し、都市としてのロンドンそのものを放棄し、別の理想的な都市を郊外の緑の海のなかにつくりなおそうと考えた。実際にその実験の一部は実現したが、都市としてのロンドンそのものは存続した。今日、日本で知られる「田園調布」や「田園都市線」の命名のもとになったガーデンシティ構想である（参照、拙著『土地の神話』小学館文庫）。

産業革命の時代、せいぜいその恩恵に浴し、あるいは被害を受けたであろう一帯はイギリス、フランス、ドイツ、イタリア、スペインなどごく限られた国々であった（イギリスとEUのこれら5大国は、いまもっともラディカルにカーボンニュートラルを推進している）。しかも大気汚染は都市部でしかなかったから被害を被ったのはせいぜい1億人程度であっただろう。今後はあらゆる途上国も生活水準が上がりエネルギーコストも増大する。その規模は19世紀の産業革命の比ではない。

19世紀後半のエネルギー革命は先進国の産業と政治と生活に大転換をもたらしたが、2050年までに現代のエネルギー革命、すなわち「カーボンニュートラル革命」を成就しないと地球は気候変動の乱気流に巻き込まれ、持続的可能性は危機に瀕するであろう。もはや選択の余地はない。

おわりに

ＥＶのテスラ車を購入した、と本稿で記した。僕は日本人だからトヨタ車やニッサン車を応援したい、という気持ちがある。しかし、先端を走るクルマに未来を感じたり、素直に学びたいという気持ちも押さえがたい。カーボンニュートラルを体感したかったのである。ＭＬＢで〝二刀流〟の大活躍・大谷翔平選手の愛車はテスラのモデルXであることが最近、明らかになった。大谷選手の選択も彼にふさわしく未来志向なのだ。

日本メーカーはＥＶと自動運転で完全に出遅れている。バイパーサンドラーというアメリカの投資銀行が最近（２０２１年6月）発表した２０４０年の世界自動車市場のシェア予想を知ったら日本人はショックを受けるのではないか。

「新車販売に占めるＥＶの割合は２０３０年までに45パーセント、２０４０年までに94パーセントに達する」とレポートは見通しを記すが、問題はその内訳である。

２０４０年の世界自動車市場におけるテスラのシェアは10・１パーセント、年間販売台数は現在の50万台から８２０万台へ伸びると予想されている。ただしシェア首位はドイツのフォルクスワーゲンで11・４パーセントを確保し、９２０万台を販売している。

おわりに

バイパーサンドラー社の予測では、米大手のＧＭとフォードもＥＶへの転換に成功して世界市場でシェアを維持するいっぽうで、トヨタ自動車は苦戦し、市場シェアは現在の11パーセントから４・３パーセントにまで低下する。

つまりこういうことだ。トヨタとフォルクスワーゲンは２０２０年ではともに１０００万台を売上げ、首位争いをしているが、２０４０年にはほとんどのクルマはＥＶになっており、フォルクスワーゲンは１０００万台近くを維持するがトヨタは４００万台ほどに下落して、20倍に成長したテスラの半分以下になるという予測である。

トヨタ自動車は製造立国・日本の優等生である。最後の牙城でもある。この予想が裏切られることを祈りたい。裏切られなければ日本沈没である。

どうしたらよいか。「カーボンニュートラル革命」の時代を自覚するしかない。既得権益にしがみついていたら先へ進めない。言い訳ばかり列挙してもはじまらない。

コロナ禍が襲来直前に日本の医療体制改革を提言した『日本国・不安の研究』（ＰＨＰ研究所刊）に引き続いて中澤直樹氏にお世話になった。その中澤氏がビジネス社へ移籍するにあたり本書も新天地に同行させていただくことにした。東大大学院総合文化研究科修士課程の堀本大貴君には助手として手伝ってもらった。ありがとう。

西麻布の寓居にて　猪瀬直樹

●著者略歴

猪瀬直樹（いのせ・なおき）

1946年長野県生まれ。作家。87年『ミカドの肖像』で大宅壮一ノンフィクション賞を受賞。96年『日本国の研究』で文藝春秋読者賞受賞。東京大学客員教授、東京工業大学特任教授を歴任。2002年、小泉首相より道路公団民営化委員に任命される。07年、東京都副知事に任命される。12年、東京都知事に就任。13年、辞任。15年、大阪府・市特別顧問就任。主な著書に『天皇の影法師』『黒船の世紀』『ペルソナ 三島由紀夫伝』『ピカレスク 太宰治伝』『民警』『救出』『日本国・不安の研究』『昭和16年夏の敗戦』『昭和23年冬の暗号』などの他、『日本の近代 猪瀬直樹著作集』（全12巻、電子版全16巻）がある。

カーボンニュートラル革命

2021年9月1日　　第1刷発行

著　者　猪瀬直樹

発行者　唐津　隆

発行所　株式会社ビジネス社

〒162-0805 東京都新宿区矢来町114番地
神楽坂高橋ビル5階
電話 03(5227)1602　FAX 03(5227)1603
http://www.business-sha.co.jp

カバー印刷・本文印刷・製本/半七写真印刷工業株式会社
〈カバーデザイン〉大谷昌稔
〈本文DTP〉有限会社メディアネット
〈編集担当〉中澤直樹　〈営業担当〉山口健志

ISBN978-4-8284-2321-0